JACQUES-PIERRE GOUGEON

L'Allemagne du XXIᵉ siècle

Une nouvelle nation ?

D0892227

ARMAND COLIN

« Éléments de réponse »

Ouvrage publié sous la direction de Pascal Boniface

Parmi nos autres publications

O. Galland, *Les jeunes Français ont-ils raison d'avoir peur ?*
F. de Singly, *Comment aider l'enfant à devenir lui-même ?*

Conception de couverture : Aalam Wassef
ISBN : 978-2-200-35481-7
© Armand Colin, 2009
www.armand-colin.com

ARMAND COLIN ÉDITEUR • 21, RUE DU MONTPARNASSE • 75006 PARIS

Jacques-Pierre Gougeon est Professeur des Universités, spécialiste de l'Allemagne contemporaine et des relations franco-allemandes. Expert à l'Assemblée nationale et ancien Conseiller culturel auprès de l'ambassade de France à Berlin. Également chercheur associé à l'Institut des relations internationales et stratégiques (IRIS), il est l'auteur de plusieurs ouvrages dont *Allemagne, une puissance en mutation* (Gallimard/Folio, 2006, réed. 2009), *Où va l'Allemagne ?* (Flammarion, 1997) et *La Social-démocratie allemande (1830-1996) : de la révolution au réformisme* (Aubier, 1996). Il a également dirigé le numéro de *La Revue internationale et stratégique* sur l'Allemagne paru à l'été 2009.

À Burkhard et Sonja

Nous sommes tous comme des fruits. Nous pendons haut à des branches étrangement tortueuses et nous endurons bien des vents. Ce qui est à nous, c'est notre maturité, notre saveur et notre beauté.

Rainer Maria Rilke,
Notes sur la mélodie des choses, 1898.

Sommaire

Introduction

Ce n'est pas un hasard si le nouveau président des États-Unis, Barack Obama a, comme candidat, prononcé son unique discours en Europe à Berlin pour proposer « un partenariat nouveau et global »[1] entre les États-Unis et le continent européen, suscitant la déception de la diplomatie française qui aurait préféré que cette « première » se tînt à Paris. Il n'est sans doute pas de meilleure illustration de la perception de l'Allemagne dans cette première moitié du XXIe siècle comme grande puissance au cœur de l'Europe, servant de pont non seulement entre la partie occidentale et orientale du continent européen mais aussi entre l'Europe et les autres grandes puissances de la planète. Si cette « centralité » en Europe n'a rien de nouveau, l'Allemagne unie d'aujourd'hui n'en présente pas moins une situation unique du point de vue de son histoire et de sa géographie : ce n'est ni l'Allemagne de 1871, qui épouse les lignes de l'empire allemand nouvellement créé, ni celle des frontières de 1937, vite malmenées par l'expansionnisme, et encore moins celles des traités de Westphalie de 1648 ou du traité de Vienne de 1815 qui symbolise, à l'époque de l'État-nation, l'éclatement – et dans un certain sens l'impuissance et le retard – de l'espace germanique, tels qu'ils furent vécus par leurs contemporains, le jeune Bismarck en tête, qui se rappelle dans *Idées et souvenirs* avoir fréquenté les associations

---

1. Discours de Barack Obama à Berlin, le 24 juillet 2008, disponible sur le site http://www.politique-digitale.fr, p. 4.

étudiantes nationalistes et révolutionnaires avec la conviction que « dans un avenir proche, l'évolution conduirait à l'unité allemande »[1], processus qui allait bouleverser l'équilibre européen. Aujourd'hui, l'unicité d'un espace pour la première fois aux frontières resserrées constitue un facteur essentiel pour l'Allemagne et l'Europe, la première devant nécessairement repenser sa place et son rôle en fonction de cette donne. Parallèlement à l'affirmation du nouveau statut de grande puissance, l'Allemagne est en quête d'une nouvelle identité. Elle balance entre la célébration des acquis politiques et sociaux obtenus depuis son existence officielle du 23 mai 1949 et la recherche de repères susceptibles d'ancrer à l'Ouest comme à l'Est sa nouvelle identité politique et géostratégique née de l'unification de 1990, incitant l'historien Herfried Münkler à qualifier l'Allemagne, dans son ouvrage *Les Allemands et leurs mythes,* de « zone dépourvue de mythe », au sens de « mythe politique fondateur » nécessaire à la « stabilité des États et des nations par sa capacité à créer la confiance en soi et l'assurance »[2]. En effet, les dates envisagées pour marquer un moment fondateur comme celles du 9 novembre 1989, chute du Mur de Berlin, ou du 3 octobre 1990, entrée en vigueur du traité d'unification, se révélèrent vite inopérantes : la première rappelant trop un autre 9 novembre, le funeste 9 novembre 1938 (Nuit de cristal), voire le 9 novembre 1923 (putsch de Hitler), l'autre, bien que liée au traité d'unification du 31 août 1990 et jour de la fête nationale, pouvant suggérer la victoire d'une partie de l'Allemagne, l'Ouest, sur l'autre, l'Est, dont certains pensent encore qu'elle a été absorbée sans prise en

---

1. BISMARCK, Otto (von), *Gedanken und Erinnerungen* (Idées et souvenirs), München, Herbig, 1982, p. 18.
2. MÜNKLER, Herfried, *Die Deutschen und ihre Mythen* (Les Allemands et leurs mythes), Berlin, Rowohlt, 2009, p. 9 et 483.

compte de certaines de ses spécificités, notamment sociales, qui auraient pu constituer un apport à la nouvelle Allemagne.

Le nouveau statut de puissance de l'Allemagne apparu en filigrane au lendemain de l'unification, affermi au cours des années 2000, notamment après l'émancipation à l'égard des États-Unis suite au refus de la guerre en Irak en 2003, et que nombre d'historiens ont théorisé à l'instar de Gregor Schöllgen qui dans *L'Entrée en scène. Le retour de l'Allemagne sur la scène mondiale* observe « la renaissance d'un État national allemand et le retour d'une grande puissance continentale capable d'exercer une influence mondiale »[1], s'accompagne également d'un travail d'introspection des Allemands, notamment par un nouveau regard sur l'histoire, ainsi que de la manifestation d'une plus grande « conscience de soi » (*Selbstbewusstsein*). Selon une étude publiée en avril 2009 par la Fondation Identity, 59,3 % des Allemands se disent fiers de leur nationalité, « l'identification à la nation n'étant pas pour la majorité des Allemands un référent dépassé mais au contraire plus actuel que jamais », et 72,9 % souhaitent « une affirmation de soi plus grande fondée sur l'identité nationale et culturelle »[2]. Cette nouvelle conscience de soi est incarnée par une génération de dirigeants politiques nés dans l'après-guerre, à l'instar d'Angela Merkel née en 1954 qui peut aisément affirmer, le 9 février 2009, devant le corps diplomatique : « Ces soixante ans de République fédérale ont été somme toute de bonnes années pour l'Allemagne. Nous disposons

---

1. SCHÖLLGEN, Gregor, *Der Auftritt. Deutschlands Rückkehr auf die Weltbühne*, (L'Entrée en scène. Le retour de l'Allemagne sur la scène mondiale), Berlin/München, Ullstein/Propyläen, 2003, p. 25.
2. *Deutsch-Sein. Ein neuer Stolz auf die Nation im Einklang mit dem Herzen. Die Identität der Deutschen* (Être Allemand. Une nouvelle fierté nationale fondée sur l'harmonie. L'identité des Allemands), Études de la Fondation Identity, tome 10, Düsseldorf, avril 2009, p. 14 et 21.

depuis la création de la République fédérale d'Allemagne, le 23 mai 1949, d'une constitution démocratique, la Loi fondamentale. Après les horreurs de la Seconde Guerre mondiale, l'Allemagne détruite a été reconstruite. Ce que nous appelons aujourd'hui le "miracle économique" a pu se développer grâce à l'économie sociale de marché. Nous avons réalisé l'unité dans la liberté. Aujourd'hui, l'Allemagne, solidement intégrée dans la communauté internationale, est un partenaire fiable qui accueille sur son sol beaucoup d'organisations internationales[1]. »

Parallèlement à cette affirmation de soi, l'Allemagne traverse des interrogations quant à certaines faiblesses de son modèle économique et social révélées par la crise financière de 2008-2009 qui a débouché sur la récession la plus grave connue par la République fédérale depuis sa création. Ainsi ses banques – dont les célèbres banques régionales (*Landesbanken*) – ont été durement touchées du fait de leurs expositions extérieures. Or, plus qu'ailleurs les établissements bancaires, dont la création a souvent été encouragée à la fin du XIXᵉ siècle par les pouvoirs publics comme la Deutsche Bank et la Commerzbank en 1870, détiennent une part importante du capital des entreprises, soit 10 %, contre 4 % en France et 1 % aux États-Unis. De même, si l'État ou plus précisément les pouvoirs publics ont toujours été – notamment par le biais des Länder – un partenaire, voire un acteur, de la vie économique, la notion même de nationalisation, voire d'interventionnisme direct, était, depuis les années 1950, rejetée à droite comme à gauche. Le tabou est tombé avec la nationalisation partielle et temporaire de la Commerzbank en janvier 2009. Quelques

---

1. Discours de la chancelière fédérale Angela Merkel prononcé à l'occasion de la réception du corps diplomatique, le 9 février 2009, p. 1, http://bundeskanzlerin.de/aktuelles/reden2009.

mois plus tard, avec le sauvetage d'Opel grâce aux garanties et crédits apportés par les pouvoirs publics, l'État s'est, comme rarement dans l'histoire récente, placé au centre du jeu de la vie économique, remettant ainsi en cause aux yeux de certains, notamment au sein du parti de la chancelière Merkel, l'union chrétienne-démocrate, un des fondements de l'économie sociale de marché : le savant équilibre entre la fixation d'un cadre au développement de l'activité économique et la pratique de l'économie de marché. Pour se justifier, Angela Merkel a dû rappeler le 30 mai 2009 « le caractère exceptionnel de la crise mondiale » et « le rôle de garant de l'ordre économique et social »[1] attribué dès l'origine à l'État par les fondateurs et défenseurs de l'économie sociale de marché, au premier rang desquels le ministre de l'Économie de Konrad Adenauer, puis second chancelier de la République fédérale, Ludwig Erhard, dont l'action et l'héritage ne sont plus seulement revendiqués par l'union chrétienne-démocrate mais aussi par une large partie des sociaux-démocrates. C'est cette Allemagne multiple et diverse, entre affirmation de soi et questionnement, que nous avons voulu appréhender.

---

1. *Der Spiegel*, 30 mai 2009.

1

L'Allemagne, grande puissance dans un nouveau siècle ?

Il convient de reconnaître à l'Allemagne des attributs de puissance à la pertinence difficilement contestable : troisième puissance économique du monde, talonnée par la Chine, avec un produit intérieur brut (PIB) supérieur de 35 % à celui de la France et qui représente 6 % du PIB mondial ; première puissance commerciale de la planète avec 9,2 % des exportations mondiales en marchandises et services (soit 45 % de son PIB) ; première puissance économique de l'Union européenne dont elle représente 27 % de la richesse de la zone euro ; premier contributeur au budget de l'Union européenne à hauteur de 20 % ; deuxième contributeur au budget de l'OTAN et troisième à celui des Nations unies. En outre, l'Allemagne est, en chiffres absolus, le deuxième donateur d'aide au développement, derrière les États-Unis. On peut dorénavant ajouter une caractéristique militaire puisque l'Allemagne est, avec un contingent de 7 200 soldats, le troisième État le plus présent sur des territoires extérieurs au territoire national. Le pays est également le quatrième exportateur d'armements. Même si la démographie n'est pas en soi un critère de puissance (elle peut être une source d'affaiblissement), on peut néanmoins relever que l'Allemagne est, avec 82,1 millions d'habitants, le pays de loin le plus peuplé de l'Union européenne. L'Allemagne, pour détenir ainsi plusieurs attributs de grande puissance (économie dominante, par exemple) mais pas tous (rayonnement culturel, par exemple) et pour exercer une influence dépassant le cadre régional stricto sensu (l'influence localisée caractérise la « puissance moyenne »), relève de ce que l'ancien ministre des Affaires étrangères Hubert Védrine nomme une « puissance d'influence mondiale »[1], à distinguer de l'hyper-puissance que sont les États-Unis, classification proche de celle établie par l'ancien conseiller à la sécurité du président américain Carter, Zbigniew Brezezinski[2]. La notion de puissance dépend certes des critères précédemment évoqués mais aussi, au fil du temps, de la capacité à faire face aux nouveaux défis qui caractérisent le XXIᵉ siècle comme les risques écologiques, le terrorisme, la prolifération des armes nucléaires, la criminalité organisée ou les crises humanitaires, ce qui suppose, dans un monde globalisé, de pouvoir exercer un rôle fédérateur autour de grandes causes et de peser dans les organisations internationales. Dans son ouvrage *La Recherche de la sécurité. Une histoire de la République fédérale d'Allemagne de 1949 à nos jours*, l'historien Eckart Conze estime même que l'Allemagne unie est, du fait de « sa longue pratique du multilatéralisme pendant des décennies » avant l'unification et de sa connaissance de « l'interdépendance croissante de la diplomatie et de l'économie mondiale », particulièrement bien préparée à exercer ce rôle de « grande puissance continentale d'influence mondiale »[3]. Au-delà d'une classification, il s'agit de mesurer la mutation que l'Allemagne a traversée et traverse dans son rapport avec le statut de (grande) puissance qui, plus

---

1. VEDRINE, Hubert, *Face à l'hyper-puissance. Textes et discours 1995-2003*, Paris, Fayard, 2003, p. 91.
2. BREZEZINSKI, Zbigniew, *Le Grand Échiquier. L'Amérique et le reste du monde*, Paris, Fayard, 1997.
3. CONZE, Eckart, *Die Suche nach Sicherheit. Eine Geschichte der Bundesrepublik Deutschland von 1949 in die Gegenwart* (La Recherche de la sécurité. Une histoire de la République fédérale d'Allemagne de 1949 à nos jours), München, Siedler, 2009, p. 857 et 856.

qu'ailleurs du fait de l'histoire, reste connoté. On constate une attitude qui rejette le statu quo et s'inscrit dans une dynamique visant à accéder à de nouveaux attributs de puissance que l'Allemagne estime être en adéquation avec sa nouvelle situation.

LA RÉFLEXION SUR LA NOTION DE PUISSANCE

L'évolution de la perception de la notion de puissance est un facteur de nature à la fois politique et culturelle, favorisé par l'arrivée au pouvoir d'une nouvelle génération de dirigeants politiques, nés à la fin de la Seconde Guerre mondiale – comme le président fédéral Horst Köhler ou l'ancien chancelier Gerhard Schröder respectivement nés en 1943 et 1944 – ou dans l'après-guerre – c'est le cas d'Angela Merkel née en 1954. Un nouveau rapport au passé s'est noué, fondé sur une double volonté : assumer et perpétuer le devoir de mémoire concernant l'époque nazie ; faire valoir – c'est un accent nouveau, un pas vers ce que les Allemands appellent eux-mêmes la « normalité » – que ce passé ne doit plus inhiber l'Allemagne sur la scène internationale, mettant ainsi un terme à une obligation morale de retenue, jusqu'alors justifiée par l'histoire et sa conséquence immédiate, la division de l'Allemagne. C'est ainsi que Gerhard Schröder à qui revient le mérite, dans un jeu subtil avec son ministre vert des Affaires étrangères, Joschka Fischer, au passé pacifiste, d'avoir, non sans contorsion, réconcilié l'opinion publique, les partis politiques allemands – et notamment une partie de la gauche – avec la notion de puissance, a pu affirmer que « l'Allemagne a tout intérêt à se considérer elle-même comme une grande puissance en Europe et à orienter en conséquence sa politique étrangère »[1], marquant une rupture avec une pratique qui

_____

1. *Le Monde*, 7 septembre 1999.

avait, jusqu'à l'unification et même au-delà, caractérisé sous des formes diverses la diplomatie allemande : « Nous les Allemands, nous nous étions faits à l'idée d'être un géant économique et un nain politique. Cela nous arrangeait, on était à l'aise. Personne ne nous permettrait aujourd'hui de maintenir une telle attitude[1]. » Deux moments forts ont marqué ce passage de la culture de la retenue à celle de l'exercice de la puissance : la participation de l'Allemagne à l'intervention militaire contre la Serbie au printemps 1999 (voir plus loin « la fin du tabou militaire ») et son engagement dans la lutte contre le terrorisme au lendemain du 11 septembre 2001. Ces deux événements ont servi de cadre au travail « pédagogique » conduit par la nouvelle génération de dirigeants politiques, à l'époque incarnée par Gerhard Schröder, la gauche radicale avec *Die Linke* mais aussi une fraction des sociaux-démocrates demeurant aujourd'hui encore réfractaires à l'idée d'intervention militaire extérieure. C'est au nom de la « nouvelle responsabilité » incombant à l'Allemagne unie, thème que reprendra son successeur Angela Merkel, que Gerhard Schröder justifie l'engagement militaire de son pays dans la lutte contre le terrorisme, notamment en Afghanistan, devant le parlement fédéral, le 8 novembre 2001, et devant son parti, le 19 novembre suivant : « La contribution que nous nous apprêtons à apporter exprime notre disposition à tenir compte de la responsabilité accrue de l'Allemagne dans le monde »[2], sachant que « nous ne pouvons plus, par bonheur, avoir recours à l'interprétation qui permettait à l'ancienne République fédérale de défendre ses intérêts à l'ombre de ses alliés

---

1. *Le Monde*, 30 octobre 2001.
2. Déclaration gouvernementale du chancelier fédéral, Gerhard Schröder, sur l'engagement des forces armées allemandes dans la lutte contre le terrorisme, prononcée devant le parlement fédéral, le 8 novembre 2001, http://www.bundeskanzler.de/reden2001, p. 3.

sans prendre de risque »[1]. Le refus de l'Allemagne en 2003 de participer à la guerre en Irak, illustré par le discours du chancelier à l'intention des États-Unis (mais aussi indirectement des anciennes puissances tutélaires d'après 1945) selon lequel « les questions existentielles concernant la nation allemande sont traitées à Berlin et nulle part ailleurs »[2], n'est que le prolongement de l'affirmation de cette nouvelle conscience de soi et d'une émancipation plus large, condition de l'exercice de la puissance. Angela Merkel pourra s'appuyer sur ce travail de persuasion effectué par son prédécesseur, un acquis qu'elle revendique pleinement lorsqu'elle observe : « L'Allemagne, plus grand pays d'Europe, doit s'affirmer et s'imposer dans de nombreux domaines. Il ne s'agit pas de se placer au-dessus des autres mais d'assumer une plus grande responsabilité que celle que nous avions précédemment »[3], thème repris dans sa première déclaration gouvernementale du 30 novembre 2005 lorsqu'elle évoque « (notre) revendication à participer aux affaires du monde et à co-décider »[4]. Cette perception que l'Allemagne a d'elle-même rend caduque ce que l'on avait pris l'habitude d'appeler « l'auto-limitation » (*Selbstbeschränkung*) que le célèbre biographe de Konrad Adenauer, Hans-Peter Schwarz, avait même qualifiée en 1985 « d'oubli de la

1. Discours du président du parti social-démocrate d'Allemagne, Gerhard Schröder, au congrès du parti social-démocrate d'Allemagne tenu le 19 novembre 2001 à Nuremberg, p. 5, http://www.spd-parteitag/nürnberg 2001.de.
2. Discours du chancelier fédéral, Gerhard Schröder, prononcé devant le parlement fédéral, le 13 septembre 2002, http://www.bundeskanzler.de/reden2002, p. 2.
3. *Der Spiegel*, 25 août 2003.
4. Déclaration gouvernementale de la chancelière fédérale, Angela Merkel, prononcée devant le parlement fédéral le 30 novembre 2005, http// www.bundeskanzlerin.de/reden2005, p. 13.

puissance » (*Machtvergessenheit*)[1] pour définir une forme d'abdication de ses compatriotes, aux antipodes de la situation actuelle. Ainsi le *Livre blanc sur la politique de sécurité de l'Allemagne et l'avenir de l'armée fédérale*, adopté en 2006, souligne que « du fait de son poids démographique, de sa force économique et de sa situation géographique au cœur du continent, l'Allemagne unie doit jouer un rôle important dans l'élaboration du projet européen de demain et même au-delà »[2].

Le meilleur exemple du rejet du statu quo est illustré par le désir de l'Allemagne d'obtenir un siège permanent au Conseil de sécurité de l'ONU. L'Allemagne n'entend plus se contenter de quelques nominations dans l'appareil onusien ou de la présence à Bonn du siège de l'Organisation des volontaires des Nations unies, du centre d'information des Nations unies et de plusieurs secrétariats de convention, dont celle sur les changements climatiques. Cette revendication allemande a été formulée dès 1992 par l'ancien ministre des Affaires étrangères libéral, Klaus Kinkel, mais a très vite été réfrénée par le chancelier Helmut Kohl pour qui le sujet restait délicat, tant il contredisait la culture de la retenue encore – partiellement – en vigueur. L'Allemagne a rendu sa candidature officielle à un siège permanent au Conseil de sécurité de l'ONU par un discours du chancelier Schröder, le 19 mars 2004, et surtout par celui de son ministre des Affaires étrangères, Joschka Fischer, devant l'Assemblée générale des Nations unies, le 23 septembre 2004. Fischer en appelle à un « multilatéralisme

---

1. SCHWARZ, Hans-Peter, *Die gezähmten Deutschen. Von der Machtbesessenheit zur Machtvergessenheit.* (Les Allemands domptés. De l'obsession de la puissance à l'oubli de la puissance), Stuttgart, DVA, 1985.
2. *Weissbuch zur Sicherheitspolitik Deutschlands und zur Zukunft der Bundeswehr* (Livre blanc sur la politique de sécurité et l'avenir de l'armée fédérale), ministère fédéral de la Défense, Berlin, octobre 2006, p. 17, http://www.bmvg.de/sicherheitspolitik/grundlagen.

efficace », seul capable de faire face aux nouveaux dangers que sont la propagation des armes de destruction massive, le terrorisme, l'augmentation de la pauvreté et la destruction de l'environnement, ce qui implique de rénover l'ONU, notamment par l'élargissement du Conseil de sécurité qui ne reflète plus la réalité du monde : « Depuis quarante ans, la composition du Conseil de sécurité n'a pas changé. Je crois qu'il est grand temps de l'adapter à la nouvelle situation du monde. Comme le Brésil, l'Inde et le Japon, l'Allemagne est prête à assumer la responsabilité liée à un siège permanent au Conseil de sécurité[1]. » Une très large partie de la presse soutient alors cette revendication enfin devenue officielle, à l'instar du *Frankfurter Allgemeine Zeitung* du 27 août 2004 qui, à travers l'éditorial de Johannes Leithäuser, constate que « l'Allemagne, troisième contributeur au budget des Nations unies, s'impose d'autant plus dans le cercle des candidats qu'un siège permanent au Conseil de sécurité s'inscrirait dans le processus d'émancipation engagé dans le domaine de la politique étrangère ». La chancelière Merkel a fait sienne cette revendication, tout en mettant moins l'accent sur le droit de veto lié au statut de membre permanent. Dès sa première déclaration gouvernementale, elle évoque la disposition de l'Allemagne à « assumer une plus grande responsabilité en acceptant un siège permanent au Conseil de sécurité de l'ONU »[2]. De manière plus offensive, elle en appelle le 19 novembre 2007 à une « réforme des Nations unies sur laquelle on travaille depuis 25 ans » et dont une plus grande efficacité « dépend de

---

1. Discours du ministre fédéral des Affaires étrangères, Joschka Fischer, devant la 59ᵉ Assemblée générale des Nations unies à New York, 23 septembre 2004, p. 3 et 7, http://www.auswaertiges-amt.de/reden2004.
2. Déclaration gouvernementale de la chancelière fédérale, Angela Merkel, prononcée devant le parlement fédéral, le 30 novembre 2005, p. 13, http://www.bundeskanzlerin.de/reden2005.

la réforme du Conseil de sécurité »[1], lançant même, le 9 janvier 2009, un appel à Barack Obama dans ce sens. Même si l'Allemagne sait que la dégradation de sa relation avec les États-Unis depuis son « non » à la guerre en Irak a jusqu'à une époque récente constituée un handicap, comme l'ont montré les propositions américaines de réforme « limitée » du Conseil de sécurité de juin 2005, elle espère bénéficier, depuis l'arrivée d'Angela Merkel à la chancellerie, d'un retour en grâce en manifestant sa volonté d'un « renforcement du partenariat transatlantique », espoir accru depuis l'arrivée au pouvoir de Barack Obama. La persistance à formuler cette revendication, par ailleurs légitime et soutenue par la France, ne peut se comprendre que par la réhabilitation à la fois politique et culturelle du concept de puissance.

Pour mesurer le chemin parcouru quant à la perception, et d'une certaine façon la banalisation, du concept de puissance, la lecture de deux études essentielles sur la diplomatie allemande est éclairante. L'une dirigée par Karl Kaiser et Hanns Maull, *La Politique étrangère de l'Allemagne : fondements, défis, intérêts et stratégies, institutions et ressources*[2] date, selon les volumes, de 1994-1998, l'autre de 2007, conduite par Siegmar Schmidt, Gunther Hellmann et Richard Wolff : le *Manuel de politique étrangère allemande*[3]. La première, qui esquisse les

---

1. Discours de la chancelière fédérale, Angela Merkel, prononcé à l'occasion des célébrations des 60 ans du Plan Marshall, p. 7, http://www.bundeskanzlerin.de/reden2007.

2. KAISER, Karl/MAULL, HANNS W. (éd.), *Deutschlands Aussenpolitik* (La Politique étrangère de l'Allemagne). Tome I : *Grundlagen* (Fondements), 1994. Tome II : *Herausforderungen* (Défis), 1995. Tome III (avec Joachim Krause) : *Interessen und Strategien* (Intérêts et stratégies), 1996. Tome IV (avec Wolf Dieter Eberwein) : *Institutionen und Ressouren* (Institutions et ressources), 1998, München, Oldenbourg Verlag.

3. SCHMIDT, Siegmar/HELLMANN Gunther/WOLFF, Reinhard (ed.), *Handbuch zur deutschen Aussenpolitik,* (Manuel de politique étrangère allemande), Wiesbaden, VS Verlag für Sozialwissenschaften, 2007.

contours d'une politique étrangère allemande après l'unification, entre continuité et adaptation, avance prudemment, jugeant « non seulement compréhensible mais intelligente » la volonté du gouvernement de mettre l'accent après 1989 sur la continuité, tout en se demandant si « l'attachement à une politique passée est juste, alors que l'Allemagne et le monde autour d'elle ont fondamentalement changé » et en postulant que « le fait de participer à la vie internationale et de vouloir y exercer une influence suppose d'avoir une conscience claire des intérêts nationaux ». Si le concept de puissance apparaît, c'est de manière marginale, voire restrictive, davantage sous la forme de la « puissance économique » ou de la « puissance civile ». Pour les auteurs, il s'agit de « faire une distinction entre une politique de la responsabilité, spécifique à la République fédérale, et une politique de puissance, telle qu'elle a pu être observée chez certains autres grands États »[1]. Cette étude est encore placée sous le signe de la persistance des réflexes de prudence et de retenue caractéristiques de l'ancienne génération de dirigeants politiques nés avant la Seconde Guerre mondiale. Ainsi, même s'il s'est montré à la fin de son mandat plus offensif pour défendre les intérêts allemands, par exemple au sujet de l'introduction du pacte de stabilité ou de la baisse de la contribution allemande au budget européen, et a manifesté des velléités d'émancipation pendant les négociations sur l'unification, Helmut Kohl considérait qu'« un retour à une politique de puissance est impossible »[2]. De même, son ministre des Affaires étrangères, Hans-Dietrich Genscher, estimait que l'Allemagne unie était, en matière diplomatique, un enfant de l'ancienne République fédérale d'avant 1990 et déclarait au lendemain de l'unification : « Servir exclut la politique de puissance. Le devoir de servir ne peut se concevoir

---

1. KAISER, Karl, *op. cit.*, tome I, p. XV, tome III, p. XVIII et tome IV, p. 265.
2. *Frankfurter Allgemeine Zeitung*, 8 décembre 1995.

qu'à travers notre disposition à coopérer, à favoriser l'intégration et à céder des parts de souveraineté. Pour l'Allemagne, cela signifie avant tout la continuité, la poursuite de l'action menée jusqu'ici et une politique de responsabilité, celle du bon exemple[1]. » L'ancien chancelier Helmut Schmidt, en fonction de 1974 à 1982, est encore plus marquant dans la présentation de cette culture de la retenue, qui ne signifie pas que l'Allemagne fédérale d'avant 1989 ne parvenait pas à articuler ses propres revendications et ses intérêts comme à l'époque de l'*Ostpolitik* à partir de 1969 mais qui – en tout cas publiquement – devait reposer sur la modestie : « Pour des raisons de susceptibilité et de prestige, Bonn ne devait en aucun cas apparaître comme une puissance dirigeante au sein de la Communauté européenne. Nous devions toujours laisser la prééminence à Paris[2]. » Dans ce travail de réhabilitation de la puissance, le clivage générationnel est important. Ainsi, dans son ouvrage paru en 2008 qui se veut un condensé de son héritage politique et est intitulé *Sans fonction. Un bilan*, Helmut Schmidt met en garde la nouvelle génération à laquelle il reproche même son « besoin de se faire valoir » sur la scène internationale : « Notre véritable champ d'intervention en matière de politique étrangère, c'est l'Europe, pas le Caucase, pas le Proche ou Moyen-Orient, pas l'Asie, pas l'Afrique… Nous ne devons en aucun cas donner l'impression que l'Allemagne aspire à diriger l'Europe du fait de sa puissance économique[3]. » Plus d'une décennie après la publication de l'étude de Hanns Maull précédemment évoquée, le ton et le

---

1. GENSCHER, Hans-Dietrich, *Unterwegs zur Einheit. Reden und Dokumente aus bewegter Zeit* (Le Chemin vers l'unité. Discours et documents d'une époque mouvementée), Berlin, Siedler, 1991, p. 14 et 15.
2. SCHMIDT, Helmut, *Die Deutschen und ihre Nachbarn* (Les Allemands et leurs voisins), Berlin, Siedler, 1990, p. 176.
3. SCHMIDT, Helmut, *Ausser Dienst. Eine Bilanz* (Sans fonction. Un bilan), München, Siedler, 2008, p. 93, 94 et 97.

contexte ont changé. L'étude dirigée par Siegmar Schmidt et Gunther Hellmann (certains des auteurs étant d'ailleurs les mêmes) présente ainsi l'Allemagne comme « global player » ou « puissance européenne d'importance mondiale » dont l'objectif n'est plus comme jusqu'au début des années 1990 la dissolution de l'État national allemand dans les États-Unis d'Europe mais bien la conduite d'une « politique étrangère à la hauteur de son statut » et de son « aspiration à accroître son influence » avec comme contre-modèle l'Italie. Pour ce faire, la République fédérale pratique « une forme moderne de révisionnisme s'appuyant sur le multilatéralisme et la concertation ». On note également que le concept de « puissance civile » n'est plus que partiellement accepté, relevant davantage des années 1980 et du début des années 1990, même si l'Allemagne « n'en est pas encore à se percevoir comme une puissance militaire »[1]. Si des éléments importants comme le multilatéralisme et l'orientation européenne peuvent être le gage d'une certaine continuité, il n'en demeure pas moins que l'acceptation et la revendication d'une Allemagne puissance, assumée et reconnue comme telle, modifient profondément la donne. Ce changement qui est plus qu'une simple adaptation à une nouvelle situation internationale s'explique par une évolution profonde des milieux politiques allemands, laquelle est indissociable d'une mutation des milieux intellectuels.

Ce nouveau rapport à la puissance plonge ses racines dans une évolution intellectuelle sur laquelle s'est appuyée la nouvelle génération de dirigeants politiques. Les historiens ont joué un grand rôle en créant le terreau culturel favorable à cette perception de la puissance et en la popularisant dans les médias, notamment dans la presse, et dans plusieurs ouvrages

---

1. SCHMIDT, Siegmar, *op. cit.*, p. 25, 70, 36, 37 et 123.

à retentissement. Dès 1994, Hans-Peter Schwarz publie un ouvrage au titre évocateur et très commenté *La Puissance centrale en Europe. Le retour de l'Allemagne sur la scène mondiale.* Partant du postulat que « l'Allemagne est la puissance européenne la plus importante », « la puissance centrale en Europe », il considère qu'elle doit définir une nouvelle politique étrangère tenant compte de ses intérêts propres en Europe et dans le monde. L'Allemagne ne peut plus être « le géant traumatisé » incapable d'assumer son nouveau statut de puissance. Il ne s'agit pas de revendiquer un rôle hégémonique en Europe ou ailleurs mais « il est impérieux de formuler une orientation plus claire et plus réfléchie de la politique étrangère allemande en fonction d'abord des intérêts de la République fédérale d'Allemagne dans les domaines de l'économie et de la sécurité »[1]. Un an plus tôt, un autre historien, Gregor Schöllgen, constatait dans son livre *Peur de la puissance. Les Allemands et leur politique étrangère*: « L'Allemagne doit assumer son nouveau rôle de grande puissance européenne sans répéter, occulter et oublier les maladresses, les erreurs et les crimes de la première moitié du XXᵉ siècle[2]. » On pourrait également citer le travail de Christian Hacke, grand spécialiste de l'histoire diplomatique, sur *La Politique étrangère de la République fédérale d'Allemagne* qui en appelle à « une définition réaliste et sans préjugé des intérêts nationaux de la République fédérale » et salue l'intervention de l'armée fédérale en Afghanistan depuis 2001 comme l'opportunité pour son pays « de sortir sa politique de sécurité de l'ombre tutélaire de son

1. SCHWARZ, Hans-Peter, *Die Zentralmacht Europas. Deutschlands Rückkehr auf die Weltbühne.* (La puissance centrale en Europe. Le retour de l'Allemagne sur la scène mondiale), Berlin, Siedler, 1994, p. 14, 8, 23 et 93.
2. SCHÖLLGEN Gregor, *Angst vor der Macht. Die Deutschen und ihre Aussenpolitik* (Peur de la puissance. Les Allemands et leur politique étrangère), Berlin, Propyläen, 1993, p. 9.

passé »[1]. Dans un travail de glissement à la fois sémantique et politique et du fait d'une porosité entre discours culturel et discours politique, certaines personnalités de droite comme de gauche, ont exprimé leur propre réflexion sur le nouveau rôle diplomatique de l'Allemagne. À gauche, le ministre social-démocrate des Affaires étrangères et vice-chancelier de la Grande coalition d'Angela Merkel, Frank-Walter Steinmeier, affirme dans son livre-programme *Mon Allemagne. Mes convictions* au sujet de l'engagement de son pays en faveur d'un règlement d'un conflit au Proche Orient : « En tant que troisième grande puissance économique du monde, en tant que pays jouissant d'un grand prestige, une responsabilité nous incombe dans la recherche d'une solution de conflits régionaux[2]. » Il fait siennes les analyses d'un autre social-démocrate, Egon Bahr, ancien conseiller et ministre du chancelier Willy Brandt, qui recommande à ses compatriotes d'assumer leur récente souveraineté afin d'éviter d'être « le jouet des intérêts d'autrui », l'histoire ne devant plus constituer un blocage à l'affirmation d'intérêts nationaux : « Il est encourageant de constater que l'Allemagne surmonte la peur inhibitrice résultant de l'obsession de son histoire et se projette dans l'avenir qui comportera inévitablement une voie allemande[3]. » À droite, l'un des premiers à avoir pensé les obligations liées au nouveau statut de grande puissance est Wolfgang Schäuble, ancien président de la CDU, devenu ministre de l'Intérieur dans le gouvernement Merkel, qui dans son ouvrage *Tournés vers l'avenir* exhorte la communauté inter-

---

1. HACKE, Christian, *Die Aussenpolitik der Bundesrepublik Deutschland* (La Politique étrangère de la République fédérale d'Allemagne), Frankfurt am Main, Ullstein, 2003, p. 524 et 479.
2. STEINMEIER, Frank-Walter, *Mein Deutschland. Wofür ich stehe* (Mon Allemagne. Mes convictions), München, Bertelsmann, 2009, p. 200.
3. BAHR, Egon, *Der deutsche Weg. Selbstverständlich und normal* (La Vie allemande. Évidente et normale), München, Blessing Verlag, 2003, p. 139 et 10.

nationale à s'habituer au fait que « les Allemands ne sont pas confinés à une place de second ordre sur la scène mondiale »[1]. Un des corollaires de cette réhabilitation de l'idée de puissance, qui marque une césure dans la culture politique allemande, est la fin du tabou militaire.

LA FIN DU TABOU MILITAIRE

Après 1945 et jusque dans les années immédiates de la post-unification, l'Allemagne ne pouvait employer l'armée fédérale comme un outil de politique étrangère, pour des raisons à la fois morales – le passé nazi – et diplomatiques – la souveraineté limitée –, du moins jusqu'à la signature du traité de Moscou du 12 septembre 1990 par lequel l'Allemagne retrouve « la pleine souveraineté sur ses affaires intérieures et extérieures » à l'intérieur de frontières définitives, en acceptant de renoncer à la « fabrication et à la possession d'armes atomiques, biologiques et chimiques »[2] et de limiter son armée à 370 000 hommes, avec un plafond maximum de 345 000 pour les forces terrestres et aériennes. Aujourd'hui, l'armée fédérale est présente à l'étranger avec un contingent de 7 200 soldats contre seulement 2 700 en 1998, augmentation qui exprime là encore une profonde mutation qui n'a été possible que grâce à un processus de maturation. En effet, au lendemain de l'unification, l'Allemagne s'est contentée, à la demande de l'ONU, de fournir des infirmiers ou des médecins comme au Cambodge en 1991-1992 ou de l'aide humanitaire comme en Somalie en 1993, les soldats allemands envoyés dans le cadre de cette dernière opération pour le transport et la

1. SCHAÜBLE, Wolfgang, *Und der Zukunft zugewandt* (Tournés vers l'avenir), Berlin, Siedler, 1994, p. 196.
2. Traité portant règlement définitif concernant l'Allemagne, Moscou, 12 septembre 1990 in : *Documents d'actualité internationale*, n°23, 1ᵉʳ décembre 1990, Paris, ministère des Affaires étrangères, La Documentation française, p. 435 et 434.

logistique devant être stationnés sur un territoire pacifié et ne pas participer aux combats. Le premier changement se produit au cours de la guerre en ex-Yougoslavie lorsque, le 2 avril 1993, le gouvernement fédéral décide de maintenir les contrôleurs aériens allemands parmi les équipages internationaux à bord des avions-radars de l'OTAN, tout en sachant que ce système est destiné à faire respecter, au besoin par la force, la zone d'exclusion aérienne en Bosnie-Herzégovine. Ainsi, pour la première fois depuis la fin de la Seconde Guerre mondiale, des soldats allemands sont potentiellement engagés dans des missions de combat, même de manière indirecte. Cet élargissement progressif des missions de l'armée fédérale remet en cause l'interprétation consensuelle de la constitution en vigueur jusqu'à l'unification, selon laquelle l'armée fédérale n'est autorisée qu'à participer à des actions dans la zone opérationnelle de l'OTAN ou dans le cadre de la défense du territoire national. À l'époque, le chancelier Kohl considère que l'article 24 de la Constitution autorisant l'Allemagne à adhérer à des systèmes de sécurité collective implique qu'elle puisse dépêcher ses soldats en dehors de la zone couverte par l'OTAN dès lors que la demande en est formulée par une organisation dont elle est membre, interprétation rejetée par une large partie des sociaux-démocrates et des verts. Le jugement de la Cour constitutionnelle du 12 juillet 1994, sans faire taire le débat, tranche en fixant le cadre constitutionnel des missions de l'armée fédérale en dehors du territoire national. Ce jugement historique stipule que l'Allemagne peut, d'un point de vue constitutionnel, participer, sans limitation géographique, à des missions de casques bleus de l'ONU ou de toute autre organisation internationale dont elle est membre, même si cela implique le recours à la force, la distinction entre « opération de maintien de la paix » et « opération de rétablissement de la paix » étant par ailleurs considérée comme artificielle. Toutefois, cet engagement est soumis à l'approbation préalable du parlement fédéral à la majorité simple, disposition assouplie en 2005. Dans son édition du 15 juillet 1994, l'hebdomadaire de centre gauche *Die Zeit*, peu suspect de défendre un quelconque expansionnisme allemand, commente le jugement en affirmant que « l'Allemagne devient un État parmi les États », première étape vers la « normalisation », elle-même indispensable à l'utilisation de l'armée fédérale comme acteur possible de la politique extérieure. Le 1er septembre 1995, la première mission militaire de l'armée fédérale a lieu en Bosnie, après un débat passionné au parlement fédéral à l'issue duquel 386 députés (dont 45 sociaux-démocrates et 4 verts) contre 258, avec 11 absentions, ont approuvé l'envoi de soldats allemands en ex-Yougoslavie dans le cadre notamment d'une mission de renseignement et de reconnaissance au-dessus de la Bosnie destinée, à la demande de l'OTAN, à soutenir l'action de militaires français, britanniques et hollandais. Dans le cadre du débat sur cette mission, une partie de la gauche allemande de tradition pacifiste glisse vers une conception plus réaliste, à l'instar du vert Joschka Fischer qui, dans une lettre datée du 30 juin 1995 et adressée à son groupe parlementaire, dont il est président, et plus généralement aux membres de son parti, enjoint de réfléchir après l'échec de la diplomatie et devant les atrocités commises : « Notre génération ne court-elle pas le danger d'une démission politique et morale semblable à celle de nos parents et grands-parents dans les années 1930 en ne s'opposant pas à ces horreurs ?... Des pacifistes peuvent-ils accepter la victoire de la brutalité et de la violence ?[1] »

---

1. *Die Katastrophe in Bosnien und die Konsequenzen für unsere Partei* (La catastrophe en Bosnie et les conséquences pour notre parti), lettre de Joschka Ficher au groupe parlementaire et au parti des verts, Bonn, 30 juin 1995, p. 1 et 8.

Pour mesurer le chemin parcouru, il faut avoir à l'esprit que le 16 octobre 2008 et le 28 septembre 2005, la prolongation de l'engagement militaire allemand en Afghanistan au sein de la Force internationale à la sécurité (ISAF) a été adoptée par le parlement fédéral à une écrasante majorité, par respectivement 95 et 96 % des voix, très loin du résultat de 58 % des voix lors du vote sur l'engagement en Bosnie du 30 juin 1995. Entre ces deux étapes, un évènement central a contribué à favoriser l'acceptation, et dans un certain sens la banalisation, de l'emploi de l'outil militaire : l'engagement à partir du 24 mars 1999 de soldats allemands dans l'intervention contre la Serbie. C'est à un chancelier social-démocrate, Gerhard Schröder, qu'il revient d'annoncer à la télévision, le 24 mars 1999, que « pour la première fois depuis la fin de la Seconde Guerre mondiale des soldats allemands se retrouvent au combat », l'OTAN ayant décidé de lancer des frappes aériennes contre des cibles serbes après le refus du président yougoslave Milosevic d'accepter un accord de paix au Kosovo et de mettre un terme à sa politique d'épuration ethnique. Le contexte est particulièrement grave puisque l'Alliance atlantique s'engage, pour la première fois depuis sa création, dans une guerre contre un pays n'ayant pas commis d'agression hors de ses frontières reconnues. Traduisant l'état d'esprit général, *Der Spiegel* évoque dans son édition du 29 mars 1999 « la fin de l'innocence allemande ». Du 24 mars au 9 juin 1999, l'Allemagne franchit une nouvelle étape qui marquera profondément et durablement sa culture politique : elle abandonne définitivement son « statut particulier », laisse derrière elle l'ancienne République fédérale de 1949, renonce à son statut de « figurant » protégé par ses alliés pour devenir un acteur réel. Les 14 avions Tornado engagés dans cette action de l'OTAN baptisée « Force déterminée » effectuent 500 sorties et tirent, en situation de guerre offensive, dans une « opération d'instauration de la paix », 236 missiles contre des positions au sol serbes. Deux autres verrous ont également sauté à cette occasion : l'Allemagne a participé à une action militaire qui s'est déroulée sans autorisation explicite des Nations unies, même si leur secrétaire général l'a jugée inévitable ; cette action s'est tenue dans une région du monde que les nazis et leurs alliés croates avaient transformé en « abattoir des Balkans ». Dans son livre de souvenirs *Les Années rouges-vertes. La politique étrangère allemande du Kosovo au 11 septembre*, l'ancien ministre Joschka Fischer précise que cette participation à la campagne militaire contre la Serbie a marqué pour l'Allemagne « la fin définitive de la période de l'après-guerre et de son rôle particulier lié à l'Histoire »[1]. Ce qui doit également retenir l'attention dans l'analyse des arguments utilisés en faveur de l'engagement militaire, c'est le renversement dans l'utilisation de la référence historique : alors que jusqu'alors la retenue de l'Allemagne était justifiée au nom de son histoire, cette dernière est, dès lors, mise en avant pour expliquer sa nouvelle responsabilité internationale, notamment lorsqu'il s'agit de justifier un engagement militaire. Du fait de son passé nazi et des crimes contre l'humanité commis en son nom, l'Allemagne se doit d'être aux avant-postes de la défense de la dignité humaine. Ainsi, le 13 mai 1999, Joschka Fischer se défend contre l'accusation de bellicisme en affirmant : « Je m'appuie sur deux principes, plus jamais de guerre, plus jamais Auschwitz, plus jamais de génocide, plus jamais de fascisme[2]. » La participation militaire allemande dans la guerre contre la Serbie a ouvert la voie vers la « normalisation » de l'Allemagne en ce qui concerne l'utilisa-

---

1. FISCHER, Joschka, *Die rot-grünen Jahre. Deutsche Aussenpolitik – vom Kosovo bis zum 11.September* (Les Années rouges-vertes. La politique étrangère allemande du Kosovo au 11 septembre), Köln, Kiepenheuer und Witsch, 2007, p. 113.
2. Agence de presse allemande DPA, 13 mai 1999 : Discours du ministre Fischer au congrès des verts.

tion de l'outil militaire comme instrument de politique étrangère. Par la suite, les débats sur l'engagement extérieur de l'armée fédérale ne connaîtront plus la virulence de ceux de 1999, que ce soit par exemple à l'occasion de l'envoi de troupes en Afghanistan en 2001, de la prolongation de leur mission en 2005, 2007 et 2008 ou en 2006 lors de la participation à l'opération de surveillance du processus électoral au Congo et – encore plus sensible pour l'Allemagne du fait de la présence d'Israël dans la région – de la surveillance des côtes libanaises. Prenant acte de cette évolution, les *Lignes directrices en matière de politique de défense*, document gouvernemental servant de compas dans la définition de l'action extérieure, soulignent pour la première fois en 2003, sous l'autorité d'un ministre social-démocrate de la Défense, que « l'accroissement du rôle international de l'Allemagne implique que les missions de l'armée fédérale ne soient limitées ni dans leur ampleur ni dans leur déploiement géographique », la priorité devant aller au développement de « forces armées performantes capables de jouer un rôle actif aux côtés des alliés et des partenaires pour assurer la paix »[1], double analyse reprise dans le *Livre blanc sur la politique de sécurité* de 2006, cette fois-ci sous la plume d'un ministre chrétien-démocrate. D'importatrice de sécurité avant 1990, l'Allemagne est devenue exportatrice, le meilleur exemple étant l'Afghanistan où elle stationne le troisième contingent le plus important, après les États-Unis et la Grande-Bretagne. Cette nouvelle donne fait dorénavant partie d'un héritage commun et est un élément constitutif de la nouvelle diplomatie allemande.

---

1. *Verteidigungspolitische Richtlinien* (Lignes directrices en matière de politique de défense), ministère fédéral de la Défense, Berlin, mai 2003, p. 9 et 10.

UNE NOUVELLE DIPLOMATIE OFFENSIVE

La diplomatie allemande, désormais libérée de la culture de la retenue, entend renforcer sa présence et son influence à la fois sur des sujets considérés comme stratégiques tels l'aide au développement et la politique de sécurité ainsi que dans des régions du monde où jusqu'alors elle était plutôt absente ou en retrait comme le Proche-Orient. Ces nouveaux accents s'ajoutent – ou plutôt se superposent – à un engagement dans les secteurs plus traditionnels mais non moins importants que sont la politique européenne – au sens large, en incluant par exemple la politique de voisinage à l'égard de pays non-membres de l'Union européenne –, la relation avec les États-Unis et la relation avec la Russie. Apparaît de plus en plus souvent tant dans les réflexions stratégiques que dans les discours officiels, l'image d'une Allemagne médiatrice, par exemple au Proche-Orient ou dans la relation entre Moscou et l'Union européenne. On peut donc lire la nouvelle diplomatie allemande à travers un double prisme : si certains sujets font traditionnellement partie des fondamentaux de la politique étrangère allemande, comme la relation avec la Russie ou l'Europe centrale, les deux s'appuyant entre autres sur les acquis historiques de l'*Ostpolitik* conduite dans les années 1970 sous Willy Brandt, l'engagement plus offensif de l'Allemagne dans d'autres domaines à vocation plus « globale » comme la politique de développement et la politique de sécurité traduit la volonté de dépasser le cadre d'une simple « puissance régionale ». Il s'agit d'un double mouvement. D'une part, c'est un travail de consolidation et de renforcement de la vocation européenne de l'Allemagne, dans un subtil mélange de bilatéralisme et de multilatéralisme, ayant par exemple conduit à la réputation d'« avocat » de l'Europe centrale, rôle qui lui est maintenant attribué par des pays comme l'Ukraine et la Géorgie. La politique de stabilisation aux confins de l'Union européenne se poursuit ainsi sous d'autres formes, avec pour objectif la création d'un espace de stabilité jusqu'en Asie centrale, sorte de prolongement et d'élargissement à l'est de l'Union européenne. D'autre part, l'Allemagne, au nom de sa nouvelle responsabilité et de son nouveau statut assumé de grande puissance, s'investit sur des dossiers de dimension globale, dépassant le cadre européen, sans doute devenu un peu étroit. C'est d'ailleurs un thème que l'on retrouve dans les programmes des grands partis politiques, à commencer par l'union chrétienne-démocrate d'Angela Merkel dont le programme fondamental, révisé pour la troisième fois de son histoire en 2007 et intitulé *Liberté et sécurité,* indique que l'Allemagne qui « a apporté une contribution à l'unification de l'Europe en affirmant son identité, en s'ouvrant au monde et en créant des ponts » doit maintenant « se doter des moyens et des instruments de politique étrangère, de sécurité et de développement pour honorer (sa) responsabilité internationale et conduire une politique étrangère qui corresponde à ses intérêts nationaux »[1]. Quant au parti social-démocrate, son programme fondamental également révisé en 2007 au congrès de Hambourg et intitulé *La Démocratie sociale au XXIe siècle,* il stipule que « la social-démocratie est pleinement consciente de la responsabilité accrue de l'Allemagne pour la paix dans le monde et (qu'elle) assume activement ce rôle international »[2].

---

1. *Freiheit und Sicherheit.* Grundsatzprogramm. Beschlossen vom 21. Parteitag Hannover, 3-4 Dezember 2007 (Liberté et sécurité. Programme fondamental adopté au 21e congrès de Hanovre du 3 au 4 décembre 2007), CDU, 2007, p. 100, 106 et 107.

2. *Soziale Demokratie im 21.Jahrhundert.* Grundsatzprogramm der Sozialdemokratischen Partei Deutschlands (La Démocratie sociale au XXIe siècle. Programme fondamental du Parti social-démocrate d'Allemagne), texte traduit par la Fondation Friedrich Ebert, Bureau de Paris, 2007, p. 10.

Comme pour tous les pays membres de l'Union européenne, la politique européenne de l'Allemagne dépend beaucoup du « calendrier » des négociations et des sommets européens. Au cours des dernières années, plusieurs grandes phases
se distinguent, celle des négociations budgétaires – et donc du
financement des politiques européennes – à la fin des années
1990, celle du débat sur la réforme institutionnelle, l'élargissement et, plus récemment, la politique de voisinage. Pendant
ces différentes phases, plusieurs positions et projets portés par
l'Allemagne vont s'affirmer et traduire les grandes lignes d'une
pensée et d'une stratégie européennes ébauchées par la génération « post-Kohl », dernier chancelier à avoir vécu comme dirigeant l'Allemagne de la pré- et de la post-unification. Le projet
européen de la nouvelle génération de dirigeants politiques
allemands incarnée par Gerhard Schröder à partir de 1998 et
depuis 2005 par Angela Merkel repose sur deux piliers : l'intégration européenne n'est pas une fin en soi ; l'Union européenne doit développer une politique de voisinage efficace
pour stabiliser les pays non-membres se situant à ses frontières.
À cela s'ajoute la mise en avant plus systématique du poids
économique, démographique et politique de l'Allemagne – en
tout cas de manière plus directe que par le passé. En témoigne
la volonté de faire reconnaître la supériorité démographique
de l'Allemagne en exigeant une nouvelle pondération des voix
entre les différents pays en fonction de leur population, quitte
à abandonner la traditionnelle et historique parité avec la
France, revendication portée au sommet de Nice de
décembre 2000 par Gerhard Schröder – source de fortes
tensions avec la France (voir plus loin « France-Allemagne ») –
et objectif finalement atteint, puis maintenu dans le « mini-
traité » de Lisbonne dont les grandes lignes ont été arrêtées à
la fin du premier semestre 2007, sous l'autorité de la présidence de l'Union européenne alors exercée par Angela Merkel.

En effet, si certaines nuances non négligeables existent entre sociaux-démocrates et chrétiens-démocrates allemands, comme sur l'adhésion de la Turquie à l'Union européenne – les premiers y étant favorables, les seconds prônant un partenariat privilégié –, la continuité prévaut largement entre Gerhard Schröder et Angela Merkel, même si l'attitude parfois un peu martiale du social-démocrate n'est plus de mise. En effet, si Schröder s'était fait remarquer par ses diatribes contre l'argent allemand « brûlé » à Bruxelles ou par le rejet virulent d'une « politique consistant à acheter la bienveillance de nos voisins avec des transferts nets qui pèsent de manière insupportable sur notre budget national »[1], c'est également au nom des mêmes intérêts qu'Angela Merkel a refusé à l'automne 2008 un plan de relance européen, laissant clairement entendre sa préférence pour une approche nationale et affirmant face à Nicolas Sarkozy, le 11 octobre 2008 : « Il n'est pas question d'un fonds européen. Il s'agit d'une démarche concertée des États membres de la communauté internationale. Avec pour partenaire important les États de la zone euro où nous aurons une boîte à outils commune. Nous aurons certainement une panoplie d'outils mais chaque pays pourra utiliser ces outils en fonction des conditions particulières de sa situation[2]. » Peu de temps après, le 30 novembre 2008, la chancelière allemande interrogée dans les colonnes du *Frankfurter Allgemeine Zeitung* sur l'opportunité d'une participation de l'Allemagne à un plan de relance européen soutient : « Nous participons au budget européen à hauteur de 20 %. Nous ne voulons pas augmenter cette participation... Les

---

1. Déclaration gouvernementale du chancelier fédéral, Gerhard Schröder, devant le parlement fédéral, le 14 décembre 1998, Office de presse et d'information du gouvernement fédéral, Bulletin 1998/80, p. 967.
2. Conférence de presse conjointe de M. Nicolas Sarkozy, président de la République, et de Mme Angela Merkel, Chancelière de la République fédérale d'Allemagne, Colombey-les-Deux-Églises, samedi 11 octobre 2008, http://www.elysee.fr/elyseetheque/conferencesdepresse, p. 1.

contribuables sont mes alliés. » Il est vrai que d'après le compromis adopté en 2005 sur la période 2007-2013, l'Allemagne demeure de loin la première contributrice au budget européen, avec un volume de transferts nets équivalant à 0,42 % de son revenu national brut (contre par exemple 0,37 % pour la France). Il ne faut pas se méprendre sur cette évolution : l'Allemagne est toujours pro-européenne, comme en témoignent d'ailleurs les mesures effectuées régulièrement par l'eurobaromètre. En 2008-2009, même sur des sujets traditionnellement aussi sensibles en Allemagne que l'inflation, 69 % des Allemands jugent que l'Union européenne est l'instance la plus adaptée pour la combattre (contre 51 % des citoyens de l'Union et 51 % des Français) ; concernant la politique étrangère commune, 82 % des Allemands soutiennent son développement (contre 68 % des citoyens de l'Union et 64 % des Français) ; seule valeur négative : l'élargissement que seulement 33 % des Allemands souhaitent voir se poursuivre (contre 47 % des citoyens de l'Union et 31 % des Français)[1]. En fait, l'élément nouveau, c'est la défense plus nette d'une conception « allemande » de l'Europe imprégnée de la tradition politique et culturelle propre à l'Allemagne dont certains « marqueurs » sont censés se retrouver au niveau européen : orthodoxie monétaire et budgétaire, d'où l'attachement à l'indépendance de la Banque centrale européenne (BCE) et le scepticisme face à toute tentative de mutualisation des responsabilités économiques nationales (rejet d'un « gouvernement économique » ou d'un emprunt européen) ; multilatéralisme, d'où la défense du vote à la majorité qualifiée dans la politique étrangère et de sécurité commune (PESC), voire le soutien à la

---

1. Eurobaromètre 69, Printemps 2008 : « L'Union européenne d'aujourd'hui et de demain » et Flash Eurobaromètre 257, Févier 2009 : « Views on European enlargement », Commission européenne, Bruxelles, 2008 et 2009, http://ec.europa.eu/publicopinion/index fr.htm.

création d'une armée européenne intégrée (complémentaire de l'OTAN) ; la subsidiarité, principe du fédéralisme allemand, d'où l'insistance, notamment à partir de la fin des années 1990, à obtenir un traité constitutionnel européen – concession arrachée au sommet de Nice en 2000, à l'époque de manière encore vague mais qui aboutira au traité de Lisbonne –, avec pour triple objectif de figer le niveau d'intégration européenne, garantir une répartition des compétences protégeant notamment les Länder et certaines institutions comme les banques régionales des interventions communautaires et asseoir un système de décision confortant le poids de l'Allemagne au sein du conseil (à travers le mécanisme de « double majorité » inscrit dans le traité de Lisbonne, majorité numérique avec 55 % des États et démographique avec 65 % de la population). Cette orientation de la politique européenne de l'Allemagne va de pair avec une réhabilitation de l'État national que l'on retrouve à gauche comme à droite de l'échiquier, même si elle est plus affirmée au sein de la CDU dont le programme fondamental précise justement dans le paragraphe sur l'Europe : « Les États nationaux et l'identité de leurs peuples sont les parties constitutives essentielles d'une Europe unie dans la diversité… L'État national évoluera mais ne cessera pas d'exister[1]. » Cette évolution est bien éloignée du débat sur une Europe fédérale lancé par Joschka Fischer dans son discours du 12 mai 2000 à l'université Humboldt de Berlin prônant « le passage d'une alliance d'États à une parlementarisation complète au sein d'une fédération européenne » et l'élaboration d'un traité constitutionnel qui transférerait « à la fédération le cœur de la souveraineté et uniquement ce qu'il est absolument nécessaire de régler au niveau européen »[2].

---

1. *Freiheit und Sicherheit…, op. cit.*, p. 97 et 99.
2. Discours du ministre fédéral des Affaires étrangères, Joschka Fischer, à l'université Humboldt, 12 mai 2000, http://www.auswaertiges-amt.de/reden2000, p. 5.

Cette réorientation de la politique européenne de l'Allemagne ferme une parenthèse : l'Europe ne sert plus de substitut à l'identité nationale allemande difficile à affirmer avant l'unification et même immédiatement après. L'Europe était alors un élément essentiel du système d'alliances permettant à la République fédérale, entravée par la division du pays et son « statut particulier » issu de 1945 et de la guerre froide, de regagner la confiance et d'obtenir la reconnaissance des alliés par une attitude de dévouement, la moins revendicative possible, tout en disposant d'une marge de manœuvre qu'elle n'aurait sinon jamais eue. La réhabilitation pouvant peut-être conduire un jour à l'unification ne pouvait se réaliser que dans ce cadre. C'est dans ce double sens qu'il faut comprendre l'analyse du premier chancelier de la République fédérale, Konrad Adenauer, reprise avec plus ou moins de nuances par ses successeurs, lorsque dans ses *Mémoires*, il cite l'un de ses courriers adressé à ses ministres précisant que « si l'intégration européenne réussit nous pourrons faire valoir lors de négociations sur la sécurité comme sur la réunification l'élément essentiel et nouveau que constitue une Europe unie »[1].

Si l'Allemagne est revenue à une conception accordant une place centrale à l'État-nation, privilégiant ainsi la coopération intergouvernementale, tout en distillant certains éléments fédéralistes, elle n'en entend pas moins être aux avant-postes. Angela Merkel l'a d'ailleurs rappelé avec habileté lors du Conseil européen du 16 décembre 2005 qui, entre autres grâce à la médiation de la chancelière allemande, est parvenu à un accord sur le cadre financier pour les années 2007-2013. Elle l'a également montré lors de sa présidence de l'Union européenne du premier semestre 2007 qui a été unanimement saluée et a permis de réelles avancées sur deux sujets majeurs :

---

1. ADENAUER, Konrad, *Erinnerungen* (Mémoires), tome III : 1955-1959, Stuttgart, DVA, 1967, p. 253.

l'avenir institutionnel et la protection de l'environnement. En effet, la présidence allemande de l'Union européenne est parvenue, à l'issue d'intenses négociations dans le cadre du conseil européen du 21 juin 2007, à conserver « la substance » de la constitution adoptée en 2004 dans la « formulation » des grandes lignes du mini- traité de Lisbonne, avec notamment la création d'une présidence stable de l'Union, la création du poste de Haut Représentant aux Affaires étrangères, le vote à la double majorité à partir de 2014, la réduction de la taille de la commission, l'élargissement du vote à la majorité qualifiée et le renforcement des pouvoirs du parlement européen par son rôle dans l'élection du président de la Commission et l'extension de la procédure de codécision. La lutte contre le réchauffement climatique a également été au cœur de la présidence allemande avec l'adoption des « trois 20 % », 20 % de réduction des émissions de CO^2 d'ici à 2020, passage à 20 % de la part des énergies renouvelables et 20 % d'économies d'énergie. Pour la première fois, des objectifs chiffrés ont été fixés en matière de protection de l'environnement et une stratégie commune sur l'énergie et le climat a été élaborée. On notera d'ailleurs sans malice que ces deux grands sujets, traité constitutionnel et protection de l'environnement, sont au centre des « intérêts allemands ». On l'a vu précédemment sur le premier dossier. Concernant le second, il n'est pas inutile de constater que l'Allemagne est économiquement en pointe dans ce secteur : elle a adopté pour la période 2006-2012 un plan d'investissements privés et publics de 35 milliards d'euros en faveur du développement des énergies renouvelables ; elle est devenue en 2007 le premier exportateur mondial d'éoliennes, avec des entreprises performantes dont certaines, à l'instar de Siemens, réalisent déjà jusqu'à un quart de leur chiffre d'affaires grâce aux « technologies vertes ». En tout cas, une chose est sûre : après l'enlisement lié au rejet du premier projet de constitution par la France en 2005, la présidence allemande est parvenue à relancer la dynamique européenne et à mettre un terme à l'immobilisme institutionnel. L'autre sujet central de la politique européenne allemande, clairement apparu au cours de la présidence allemande de l'Union européenne en 2007, est le développement et l'extension de la politique de voisinage. Le programme de la présidence de 2007 partant du principe que « la politique européenne de voisinage contribue fortement à la promotion de la stabilité et de la démocratie » avait souhaité que « l'Union européenne tire parti de sa marge de manœuvre et soumette à ses pays partenaires situés dans son voisinage une offre de coopération attrayante et de grande envergure »[1], Angela Merkel allant jusqu'à déclarer devant le parlement européen que « l'Union européenne doit s'investir dans la politique de voisinage davantage qu'elle ne l'a fait jusqu'alors »[2]. En fait l'Allemagne souhaite une plus grande cohérence de la politique de voisinage, dont elle a dénoncé les déficits, notamment l'insuffisante prise en compte de la dimension régionale. Dans ce sens, elle a proposé « un partenariat de modernisation » avec les pays d'Europe orientale et du sud du Caucase qui implique des accords sectoriels régionaux ou bilatéraux mais dans des domaines présentant une dimension régionale comme les transports, l'énergie, l'environnement ou la justice. Dès 2001, le gouvernement fédéral a lancé un plan d'action à destination de la Géorgie, de l'Arménie et de l'Azerbaïdjan (*Kaukasusinitiative*)[3], actualisé en 2004, qui développe une politique de

---

1. *Ensemble, nous réussirons l'Europe*, programme de la présidence 1ᵉʳ janvier-30 juin 2007, p. 22 et 23.

2. Discours de la chancelière fédérale, Angela Merkel, prononcé à Strasbourg devant le parlement européen, le 17 janvier 2007, p. 4, http://www.bundeskanzlerin.de/reden2007.

3. *Die Kaukasusinitiative des Bundesministeriums für wirtschaftliche Zusammenarbeit und Entwicklung: Verständigung ermutigen* (L'Initiative en faveur du Caucase du ministère fédéral de la Coopération économique et du Développement: encourager la compréhension mutuelle), 2001, http://www.bmz.de/service/materialien.

prévention des conflits en privilégiant une action régionale dans les domaines de la justice, la démocratie municipale, l'énergie et la protection de la biosphère. Dans son *Livre blanc sur la politique de développement* de 2008, le ministère fédéral de la Coopération économique et du Développement considère que le sud du Caucase constitue une priorité, car c'est « avec les Balkans, la deuxième région de crise aux portes de l'Union européenne » où les efforts doivent porter sur « la suppression des images négatives du voisin, le renforcement de la confiance réciproque et de la sécurité juridique »[1], l'ensemble des projets devant être financé par une aide bilatérale annuelle de 50 millions d'euros. Berlin a beaucoup œuvré pour que les pays de cette zone géographique soient, en 2005, intégrés à la politique de voisinage de l'Union européenne. Pour l'Allemagne, ce renforcement de la politique de voisinage n'a de sens qu'en intégrant l'Asie centrale (Kazakhstan, Ouzbékistan, Kirghizistan, Tadjikistan et Turkménistan), trop longtemps négligée par l'Union européenne, alors qu'elle est importante d'un point de vue stratégique, tant comme partenaire dans la lutte contre la criminalité organisée et le terrorisme que comme fournisseur d'énergie et corridor de transport. C'est la raison pour laquelle Berlin a tenu à faire adopter sous sa présidence de l'Union européenne de 2007 une *Stratégie pour l'Asie centrale*[2], région avec laquelle elle entretient des liens souvent méconnus. Ainsi l'Allemagne est non seulement le seul pays de l'Union européenne à entretenir une ambassade dans chacune des cinq républiques de cette aire géographique mais elle est aussi le seul pays occidental à disposer d'une base mili-

---

1. *Auf dem Weg in die Eine Welt. Weissbuch zur Entwicklungspolitik* (En route vers un nouveau monde. Livre blanc sur la politique de développement), ministère fédéral de la Coopération économique et du Développement, 2008, p. 125, http://www.bmz.de/publikationen.
2. Conclusions du sommet européen de Berlin des 21 et 22 juin 2008, Conseil de l'Union européenne, service de presse.

taire en Ouzbékistan, à Termez, qui s'est révélée utile pour l'acheminement des troupes de l'OTAN en Afghanistan.

À la confluence des ambitions de « grande puissance européenne » et de « puissance d'influence mondiale », deux domaines se distinguent dans lesquels l'Allemagne entend s'engager plus avant et renforcer son influence : la politique de développement et la politique de sécurité. On notera d'ailleurs qu'au-delà de leur vocation « globale », ces domaines recoupent les intérêts de l'Allemagne dans son action européenne : la première parce qu'elle concerne directement, on l'a vu au sujet du Caucase, la politique de voisinage ; la seconde parce que la question de l'élargissement de l'OTAN est un élément de débat en Europe. La politique de développement a toujours été un aspect important de la politique extérieure allemande car inhérent au statut de « puissance civile » (*Zivilmacht*). Après l'adoption par l'ONU des objectifs de développement du millénaire en l'an 2000 visant d'ici à 2015 à, entre autres, diviser par deux l'extrême pauvreté et la faim, assurer l'éducation primaire pour tous et à améliorer la santé, l'Allemagne s'est donné les moyens de relever les défis par une restructuration de sa politique d'aide autour de 57 pays partenaires au lieu de 94 précédemment, choisis à partir de critères plus resserrés (dont celui de la bonne gouvernance) et par un engagement financier en augmentation régulière qui en fait, en chiffres absolus, le deuxième pays donateur derrière les États-Unis. À contre-courant de la majorité des États occidentaux qui rencontrent des difficultés pour tenir leurs promesses d'aide, tendance renforcée par la crise financière, Berlin fait figure de modèle puisque le montant de son aide est en hausse régulière atteignant 0,37 % du revenu national brut (RNB), contre 0,36 % en 2006 et 0,28 % en 2003. Signe des temps : pour la première fois, en 2008, a été publié un *Livre blanc sur la politique de développement*, définie comme étant « un aspect de la politique globale de la République fédérale tournée vers la paix... visant à lutter contre la pauvreté et à protéger l'environnement » ainsi qu'à « œuvrer à une mondialisation juste et favoriser la stabilité et la paix dans le monde »[1]. Il n'est donc pas étonnant que l'Allemagne ait placé l'aide aux pays en développement parmi les priorités de sa présidence de l'Union européenne de 2007, profitant d'ailleurs de sa double « casquette » de présidente de l'UE et du G8. C'est dans ce contexte qu'Angela Merkel s'est avancée sur un dossier où les chanceliers allemands n'étaient traditionnellement pas très présents : l'Afrique, pour laquelle elle a revendiqué un partenariat plus étroit avec l'Union européenne et le G8 (à la réunion duquel elle a invité, à Heiligendamm, les dirigeants de plusieurs pays africains, Afrique du Sud, Algérie, Éthiopie, Ghana, Nigeria et Sénégal), non sans s'attaquer publiquement avec virulence à la gouvernance de certains dirigeants africains, déclarant le 22 mai 2007 qu'il « ne faut pas taire les problèmes qui existent dans certains pays » et que « la politique du président Mugabe au Zimbabwe n'est pas acceptable »[2], critique également adressée au gouvernement soudanais au sommet UE/Afrique de Lisbonne des 8 et 9 décembre 2007 au nom « des droits de l'Homme et de leur respect »[3]. La politique de développement n'est pas sans lien avec le second domaine à vocation « globale » que l'Allemagne entend privilégier : la sécurité. L'engagement de l'Allemagne dans ce domaine revêt deux dimensions : une réflexion

---

1. *Auf dem Weg in die Eine Welt. Weissbuch zur Entwicklungspolitik...*, *op. cit.*, p. 15 et 10.
2. Discours de la chancelière fédérale, Angela Merkel, prononcé à l'occasion de la tenue à Berlin de l'« African Partnership Forum », le 22 mai 2007, p. 1 et 2, http://www.bundeskanzlerin.de/reden2007.
3. Conférence de presse de la chancelière fédérale, Angela Merkel, à l'issue du sommet Union européenne-Afrique, le 8 décembre 2007, p. 1, http://www.bundeskanzlerin.de/pressekonferenzen, p. 1.

sur la notion même de sécurité, notamment au niveau national, et une participation accrue au débat sur l'évolution et l'avenir de l'OTAN. Le *Livre blanc sur la politique de sécurité de l'Allemagne et l'avenir de l'armée fédérale* de 2006 développe l'idée de « sécurité en réseau » (*vernetzte Sicherheit*)[1], systématiquement reprise par Angela Merkel. Postulant que les défis à relever en matière de sécurité couvrent dorénavant des domaines aussi divers que les conflits ethniques, l'approvisionnement énergétique, la lutte contre le terrorisme, la prolifération d'armes de destruction massive, le trafic d'armes et d'êtres humains et l'immigration clandestine, le document défend d'une part « un concept élargi de la sécurité » qui doit combiner « des interventions diplomatiques, économiques, policières, militaires et armées ainsi que l'aide au développement », d'autre part une « sécurité en réseau » qui privilégie « l'action multilatérale, seule capable d'avoir une influence sur les conditions sociales, économiques, écologiques et culturelles »[2], déterminantes dans l'éclatement des conflits et l'apparition des trafics. Pour mieux remplir ces objectifs, l'Allemagne a engagé une restructuration de l'armée fédérale, maintenant divisée en forces d'intervention (opérations de haute intensité, 35 000 hommes), forces de stabilisation (opérations de moyenne intensité, 70 000 hommes) et forces de soutien (appui des autres forces sur le sol allemand et à l'extérieur, fonctionnement de base, 147 500 hommes). Tout en faisant siennes les analyses du *Livre blanc*, le groupe parlementaire CDU/CSU a, sous la plume du vice-président Andreas Schockenhoff, approfondi la réflexion et brisé quelques tabous, témoignant de l'intérêt croissant pour ce sujet

---

1. *Weissbuch zur Sicherheitspolitik Deutschlands und zur Zukunft der Bundeswehr* (Livre blanc sur la politique de sécurité de l'Allemagne et l'avenir de l'armée fédérale), ministère fédéral de la Défense, Berlin, octobre 2006, p. 24, http://www.bmvg.de/sicherheitspolitik/grundlagen.

2. Ibidem, p. 23 et 24.

dans les sphères dirigeantes allemandes. Dans un document intitulé *Une Stratégie de sécurité pour l'Allemagne* publié en 2008, le groupe CDU/CSU se prononce en faveur d'une conception moins limitative de la notion de sécurité qui doit être conçue comme « une tâche relevant à la fois de la politique intérieure et de la politique étrangère », comme le montre la lutte contre le terrorisme. Cela implique de faciliter « l'intervention de l'armée fédérale sur le sol national ». Dans ce sens, il se prononce pour la création d'un « conseil national de sécurité, centre politique d'analyse, de coordination et de décision » qui serait placé sous l'autorité directe du chancelier et fournirait une analyse précise et transversale de la situation et des enjeux à partir de l'exploitation des rapports des ambassades, des services secrets et des différents ministères. Le meilleur moyen de faire face à d'éventuelles attaques nucléaires est l'installation de « systèmes comme le bouclier anti-missiles qui par leur capacité à réduire l'attractivité des armes nucléaires sont dans l'intérêt de l'Allemagne »[1]. Prolongement direct de ces réflexions : l'Allemagne entend peser plus que jamais dans le débat sur la configuration et l'évolution de l'OTAN, comme l'a d'ailleurs montré sa réaction au sommet de l'Alliance de Bucarest des 3 et 4 avril 2008 où, contre l'avis des États-Unis et avec le soutien de la France, elle s'est opposée au calendrier de l'accession de l'Ukraine et de la Géorgie, la déclaration finale indiquant cependant que « l'élargissement est un succès historique qui a fait progresser la stabilité et la coopération » et que « ces pays deviendront membres de l'OTAN »[2]. En fait, Berlin prône un « élargissement maîtrisé » qui ne contredise pas l'objectif initial de stabilisation, notam-

---

1. *Eine Sicherheitsstrategie für Deutschland*. Beschluss der CDU/CSU-Bundestagsfraktion (Une stratégie en matière de sécurité pour l'Allemagne. Motion du groupe parlementaire CDU/CSU), Berlin, 6 mai 2008, p. 4, 10 et 12.
2. Bucharest Summit Declaration, 3 avril 2008, p. 4, http://www.nato.int./docu.

ment en évitant de provoquer la Russie. Dans son discours du 7 février 2009 à la conférence de sécurité de Munich, la chancelière Merkel, qui salue le retour de la France « dans toutes les structures de l'Alliance » comme une « manière de renforcer l'OTAN » et déplore que « la coopération entre l'OTAN et la politique européenne de défense et de sécurité ne fonctionne pas aussi bien que ce que nous souhaiterions » affirme : « L'OTAN doit être un lieu où se déroulent des échanges politiques. On ne peut pas exiger une sécurité en réseau et se contenter de concevoir l'OTAN seulement comme une alliance militaire… Nous sommes au XXIᵉ siècle confrontés à de nouveaux défis comme les menaces asymétriques et le terrorisme », ce qui implique l'élaboration d'un « nouveau concept stratégique »[1] basé, entre autres, sur une association des moyens civils et militaires. Ce nouveau volontarisme de l'Allemagne peut néanmoins se heurter à la limite de ses capacités militaires : le pays ne dépense que 1,3 % de son PIB pour la défense, contre 1,9 % pour la France et 2,5 % pour la Grande-Bretagne. Cela peut aussi constituer un obstacle à la volonté de l'Allemagne d'apparaître de plus en plus souvent dans le rôle de médiateur.

Le terme de médiateur est de plus en plus souvent apparu ces dernières années dans le langage diplomatique allemand. Ce possible rôle de médiation repose à la fois sur la traditionnelle puissance économique de l'Allemagne qui – au-delà de ses intérêts propres – peut permettre le financement d'opérations lourdes comme la construction d'infrastructures, par exemple dans les territoires palestiniens (l'Allemagne finance à elle seule 20 % des aides des États membres de l'UE à la Palestine), et sur la puissance politique et diplomatique retrouvée

---

1. Discours de la chancelière fédérale, Angela Merkel, prononcé à l'occasion de la 45ᵉ session de la conférence sur la sécurité de Munich, le 7 février 2009, p. 1 et 2, http://www.bundeskanzlerin.de/reden.

qui ouvre de nouvelles marges de manœuvre et d'action. Les liens historiques étroits tissés avec plusieurs régions du monde sont également mis en avant, comme dans le cas de la Russie. Autre élément qui favoriserait l'exercice par la diplomatie allemande de ce rôle de médiation, par exemple dans le cas du Proche-Orient : l'absence de passé colonial (en tout cas durable dans le temps) faisant apparaître l'Allemagne dans certaines régions du monde comme plus « neutre » et plus « désintéressée » que d'autres puissances. Ce dernier argument a un impact certain. Il est vrai que si l'Allemagne « redécouvre » son passé colonial, cet aspect de l'histoire allemande se limite à la période s'étendant de 1884 – année où la majeure partie des acquisitions allemandes a lieu – à 1919 – année qui, par la signature du traité de Versailles, le 28 juin 1919, voit l'Allemagne renoncer à ses possessions coloniales. En 1914, à la veille de la Première Guerre mondiale, les possessions allemandes au Togo, au Cameroun, en Afrique du Sud-Ouest et de l'Est ainsi qu'en Chine ne représentent que 2 % de la superficie de la planète contre 22 % pour l'Angleterre et 7 % pour la France… d'où la faculté de l'Allemagne à se prévaloir d'une certaine virginité dans ce domaine. En fonction de la région du monde concernée, la diplomatie allemande décline tel ou tel registre, parfois relayé par la presse comme dans le cas du « nouveau rôle » de l'Allemagne au Proche-Orient. L'engagement allemand au Proche-Orient a sans doute plus que tout autre une grande portée symbolique, tant il traduit la nouvelle conscience de soi de l'Allemagne et sa capacité à briser les tabous : cette région du monde était il y a encore peu infréquentable pour la diplomatie allemande, au nom de l'histoire et du fait de la présence d'Israël. La première visite d'Angela Merkel à Jérusalem et à Ramallah, dès les 29 et 30 janvier 2006, au cours de laquelle elle a affirmé avec force, avant même que le Hamas, vainqueur des élections du

25 janvier précédent, n'arrive aux affaires, que l'Union européenne pourrait conditionner ses aides au respect de différentes exigences – le renoncement à la violence et au terrorisme, la reconnaissance d'Israël et le respect des accords
d'Oslo – a été interprétée chez les dirigeants israéliens et palestiniens comme la volonté de l'Allemagne de « peser » dans
cette région du monde. Cette prise de position a même
provoqué quelques irritations au sein de la Commission européenne qui trouvait que la chancelière allemande parlait un
peu rapidement au nom de l'Union européenne alors que son
pays n'en exerçait pas la présidence (c'était l'Autriche) ainsi
qu'à Paris qui n'attendait pas Angela Merkel sur ce terrain et
voulait éviter une solution trop brutale risquant de fragiliser
Mahmoud Abbas et d'accentuer la crise dans les territoires
palestiniens. La promptitude de la chancelière à se rendre sur
place et à délivrer un message a surpris, tout comme fin 2006,
au moment de la crise entre Israël et le Liban, la disposition de
l'Allemagne à déployer sa marine devant les côtes libanaises
dans le cadre de la résolution 1701 des Nations unies exhortant
au rétablissement de la souveraineté du Liban, à la sécurité
d'Israël et au désarmement du Hezbollah. À y regarder de
près, cette intervention s'inscrit dans le sillon tracé depuis
plusieurs années par un nouvel activisme de la diplomatie
allemande dans cette région dont l'un des résultats les plus
marquants a été la tenue, le 17 mars 2008, à Tel-Aviv, des
premières consultations gouvernementales entre l'Allemagne
et Israël. Tout en affirmant régulièrement, comme Angela
Merkel le 18 mars 2008, que « l'Allemagne et Israël sont et
resteront liés, de manière particulière, par le souvenir de la
Shoah » et que « la responsabilité de l'Allemagne fait partie de
sa raison d'État »[1], la diplomatie allemande n'en a pas moins

---

1. Discours de la chancelière fédérale, Angela Merkel, devant la Knesset, le 18 mars
2008, p. 1 et 4, http://www.bundeskanzlerin.de/reden2008.

brisé un tabou de l'après-guerre qui lui imposait de ne pas s'engager, du moins en première ligne, au Proche-Orient. Toute une génération a encore à l'esprit les délicates négociations qui ont précédé la signature, le 10 septembre 1952, de l'accord sur les réparations à verser à Israël par la République fédérale, en reconnaissance de la responsabilité des crimes nazis. Cette signature qui avait divisé le monde politique allemand n'en signifiait pas moins que « dans le cas d'Israël le droit moral prend le pas sur le droit formel »[1], selon l'expression utilisée par une grande figure sociale-démocrate des premiers temps de la République fédérale, Carlo Schmid. En terme diplomatique, cela impliquait à l'égard d'Israël et plus généralement du Proche-Orient une retenue plus grande que partout ailleurs. Cette récente offensive de la diplomatie allemande dans cette région du monde remonte à 2000 et s'est accélérée à partir de 2001, suite à l'absence d'implication des États-Unis après le départ de Bill Clinton de la Maison Blanche : tournée du chancelier Schröder au Proche-Orient en novembre 2000 (Le Caire, Beyrouth, Amman, Damas, Jérusalem et Gaza), saluée en Israël et chez les Palestiniens et interprétée par une partie de la presse allemande comme « un changement de paramètres » (Die Welt, 2 novembre 2000) et « un rééquilibrage de l'unilatéralisme pro-arabe de la France » (Die Zeit, 2 novembre 2000). À l'été 2001, la presse allemande n'a pas cessé de célébrer l'activisme du ministre des Affaires étrangères d'alors, Joschka Fischer, et sa capacité à jouer le « rôle de médiateur » (Die Welt, 7 juin 2001 ; Frankfurter Allgemeine Zeitung, 22 août 2001 ; Süddeutsche Zeitung, 8 avril), « l'Allemagne n'ayant pas encore joué sa carte au Proche-Orient » (Der Tagesspiegel, 22 août 2001), contrairement aux autres puissances, ce qui permet de penser que « l'Allemagne glisse du rôle de payeur à celui d'acteur » (Der Spiegel, 27 août

---

1. SCHMID, Carlo, *Erinnerungen* (Mémoires), Bern, Scherz, 1979, p. 512.

2001). Lors de sa visite à Berlin le 4 juillet 2001, le premier ministre israélien d'alors, Ariel Sharon, reconnaît même à l'Allemagne « un rôle particulier du fait de son attitude équilibrée à l'égard des parties »[1]. Cette période d'activisme débouche sur la présentation du « Plan Fischer » d'avril 2002. Ce plan énumère des étapes déjà envisagées par le passé, cessez-le-feu, retrait d'Israël des territoires occupés, proclamation d'un État palestinien, reconnaissance mutuelle des deux États, surveillance et garantie du processus de paix par un « quatuor » international. Il se distingue par le fait qu'il inverse la chronologie habituelle en proposant la proclamation de l'État palestinien et la reconnaissance mutuelle dès le début du processus. Lorsque l'Allemagne présente en janvier 2009 un plan de sécurisation de la frontière avec l'Égypte (formation au management de frontière, reprise de la mission de surveillance de l'Union européenne, aide économique à la population bédouine) ou lorsque la chancelière Merkel déclare le 9 février 2009 que l'Allemagne défend la solution des deux États israélien et palestinien et qu'elle « est prête à prendre des responsabilités »[2] pour en favoriser l'application, on mesure que cet engagement est le fruit d'un travail d'une décennie.

L'autre cas de médiation, celui concernant la Russie, est plus classique et s'appuie sur une donnée historique. Il exprime aussi un désir de parler « de puissance à puissance ». Même si Angela Merkel, originaire de l'ex-Allemagne de l'Est et parlant couramment russe, plus désireuse de miser sur le partenariat transatlantique, entretient avec Moscou une relation plus empreinte de sobriété que celle de son prédécesseur,

---

1. Conférence de presse du chancelier fédéral, Gerhard Schröder, et du premier ministre d'Israël, Ariel Sharon, le 4 juillet 2001, p. 2, http://www.bundeskalnzler.de/pressekonferenzen2001.
2. Discours de la chancelière fédérale, Angela Merkel, prononcé à l'occasion de la réception du corps diplomatique…, *op. cit.*, p. 5.

la Russie demeure au cœur des réflexions diplomatiques et stratégiques de l'Allemagne. Certes, la chancelière qualifie les relations avec la Russie de « partenariat stratégique »[1], alors qu'elle parle « d'amitié » avec les États-Unis, une distinction qu'elle précise de la manière suivante : « Avec la Russie, nous ne partageons pas encore autant de valeurs qu'avec les États-Unis[2]. » Angela Merkel a néanmoins tenu à être le premier dirigeant occidental à rencontrer, le 8 mars 2008, à Moscou, le président russe nouvellement élu, Dimitri Medvedev. Certes, les intérêts économiques sont toujours très présents dans les réflexions sur la Russie puisque l'Allemagne y est le premier investisscur avec 16 % des investissements étrangers et qu'elle reçoit 36 % de son gaz naturel et 32 % de son pétrole de Russie. Mais la Russie est d'abord un sujet de nature diplomatique et politique : l'Allemagne craint une Russie tenue en périphérie qui deviendrait une grande puissance imprévisible source d'instabilité en Europe de l'Est mais aussi jusqu'en Europe centrale et occidentale. L'Allemagne serait d'autant plus menacée que l'extension vers l'Est des institutions euro-atlantiques a rétréci l'espace tampon avec la Russie, désormais réduit à l'Ukraine, la Biélorussie et la Moldavie et aux trois pays du Caucase, ces six pays étant couverts par la politique européenne de voisinage pour laquelle Berlin a beaucoup œuvré (voir précédemment). La politique russe est un élément central de cette stratégie de stabilisation comme le précise le *Livre blanc sur la politique de sécurité* : « (Un des) objectifs prioritaires de la politique de sécurité allemande consiste à renforcer la zone de stabilité européenne à travers la consolidation et le développement de l'intégration européenne et une

---

1. Discours de la chancelière fédérale, Angela Merkel, à la conférence de Munich sur la sécurité, le 4 février 2006, p. 5, http://www.bundeskanzlerin.de/reden2006.
2. *Financial Times Deutschland*, 7 janvier 2007.

politique européenne de voisinage active de l'Union euro-péenne avec les pays de l'Est, du Caucase du sud, de l'Asie centrale et de la région méditerranéenne. Parallèlement, il convient de développer et d'approfondir un partenariat de sécurité durable et solide avec la Russie[1]. » Au-delà des tensions liées aux deux guerres de Tchétchénie (1994-1996 et 1999-2005) et aux critiques sur l'absence de démocratisation et de respect des droits de l'homme qu'Angela Merkel ne se prive pas de formuler, l'entente euro-russe est au cœur des préoccu-pations de la diplomatie allemande. L'ancien chancelier Schröder, à qui sa proximité avec Vadlimir Poutine a été repro-chée, va même jusqu'à affirmer : « L'Europe ne jouera un vrai rôle entre l'Amérique d'un côté et l'Asie de l'autre que si elle réussit à établir et maintenir des relations étroites avec la Russie. À mes yeux, la Russie est une partie de l'Europe[2]. » Lorsqu'au sommet Union européenne-Russie du 31 août 2003 l'approfondissement des relations entre l'Union et la Russie a été décidé autour de quatre espaces européens communs de coopération (économie ; sécurité et justice ; action extérieure ; recherche, éducation et culture), comme précédemment pour l'instauration de l'accord de partenariat et de coopération (APC), entré en vigueur le 1ᵉʳ décembre 1997 et la définition d'une « stratégie commune » de l'UE vis-à-vis de la Russie adoptée au sommet européen de Cologne du 4 juin 1999, l'Allemagne a joué un rôle moteur. C'est avec la même préoc-cupation que Berlin considère que la Russie ne doit pas être brusquée et provoquée par la politique d'élargissement de l'OTAN, ce qui explique que lors du sommet de l'OTAN de Bucarest des 3 et 4 avril 2008 Angela Merkel ait obtenu, avec l'appui de Paris, un report de la date d'adhésion de l'Ukraine et de la Géorgie. L'attitude de l'Allemagne lors du conflit entre

---

1. *Weissbuch über die Sicherheitspolitik…*, *op. cit.*, p. 11.
2. *Der Spiegel*, 18 juillet 2008.

la Russie et la Géorgie de l'été 2008 est également révélatrice : après s'être distinguée par une réaction plus dure que la présidence française de l'Union européenne à l'encontre de Moscou, la chancelière Merkel, exigeant très tôt, lors de sa rencontre avec le président Medvedev le 15 août 2008, la reconnaissance du principe de « l'intégrité territoriale de la Géorgie »[1], la diplomatie allemande a plaidé à partir de septembre en faveur d'un apaisement avec la Russie et une relance du partenariat stratégique, un temps gelé, devenue effective avec la tenue du sommet Russie-Union européenne du 14 novembre 2008. C'est aussi dans l'intention d'être aux avant-gardes dans la relation avec Moscou que le souhait d'approfondir et d'institutionnaliser davantage les relations entre l'Union européenne et la Russie s'est traduit par l'élaboration sous l'impulsion du ministère allemand des Affaires étrangères et plus particulièrement du ministre Frank-Walter Steinmeier d'une nouvelle *Ostpolitik*, en souvenir de celle conduite par Willy Brandt dans les années 1970, mais cette fois-ci de dimension européenne et basée sur le « rapprochement par l'interdépendance » (*Annäherung durch Verflechtung*), l'interdépendance reposant elle-même sur l'intégration. Cette nouvelle *Ostpolitik* conçue à partir de 2006 repose sur trois piliers : une politique européenne de voisinage renforcée de l'isthme Baltique/mer Noire, une stratégie pour l'Asie centrale et la révision de l'accord de partenariat et de coopération entre l'UE et la Russie. Cette politique de voisinage « plus » a été validée par le Conseil européen de Berlin, le 22 juin 2007. Dans la relation avec Moscou, l'Allemagne se pense comme « pont » entre la Russie et l'Union européenne. Les liens « historiques » et « séculaires » sont à cet effet régu-

---

1. Conférence de presse de la chancelière fédérale, Angela Merkel, et du président de la Fédération de Russie, Dimitri Medvedev, le 15 août 2008, à Sotchi, p. 2, http://www.bundeskanzlerin.de/pressekonferenzen2008.

lièrement évoqués, de l'arrivée des premiers Germains en Russie au Iᵉʳ siècle à la forte présence allemande dans la Russie du XIXᵉ siècle qui conduisait à appeler tout Européen un « Allemand », en passant par l'origine allemande de la Tsarine Catherine II, princesse de Anhalt-Zerbst. Au XVIIIᵉ et XIXᵉ siècle, les deux pays participaient des questions de sécurité européenne comme deux grandes puissances continentales, certes rivales, mais aux destins souvent liés. À l'issue de sa première visite officielle à Berlin, les 15 et 16 juin 2000, Vladimir Poutine, qui avant la chute du Mur a séjourné à Dresde comme représentant du KGB, n'a pas hésité à affirmer que « l'Allemagne est le premier partenaire de la Russie en Europe et dans le monde »[1]. Rappel d'une histoire et d'un destin communs : une des meilleures études sur Poutine est intitulée *Vladimir Poutine. L'Allemand au Kremlin*[2].

FRANCE-ALLEMAGNE : AMITIÉ OU RIVALITÉ ?

Lorsque le président français, Nicolas Sarkozy, indique le 11 juin 2009 lors d'une conférence de presse commune avec la chancelière Merkel que « l'Europe, c'est 27 États, ce n'est pas simplement l'Allemagne et la France mais (que) si l'Allemagne et la France parlent d'une même voix et exercent leurs responsabilités, c'est bon pour l'Europe »[3], il prononce un truisme qui non seulement fait partie du vocabulaire franco-allemand obligé (que nombre de ses prédécesseurs ont utilisé) mais correspond également à une réalité politique et géostratégique. En effet, l'ensemble franco-allemand constitue une

---

1. *Süddeutsche Zeitung*, 17 juin 2000.
2. RAHR, Alexander, *Wladimir Putin. Der Deutsche im Kreml* (Vadlimir Poutine. L'Allemand au Kremlin), München, Universitas, 2000.
3. Conférence de presse conjointe de M. le président de la République et de Mᵐᵉ Angela Merkel, chancelière de la République fédérale d'Allemagne, Palais de l'Élysée, jeudi 11 juin 2009, p. 1, http://www.elysee.fr/elyseetheque /conferences-depresse.

sorte de « masse critique » en Europe : la France et l'Allemagne représentent 48,8 % du produit intérieur brut (PIB) de la zone euro, 36 % du financement du budget européen, 33 % de la population européenne, sans oublier, dans le nouveau traité de Lisbonne 31 % des voix au Conseil. Tout observateur averti le constate : si la relation franco-allemande ne suffit plus à elle seule à faire bouger les lignes dans une Europe à 27, cette dernière fonctionne mieux et avance plus vite lorsqu'il existe une entente franco-allemande sur les grands sujets. L'année 2009 a montré que le « couple franco-allemand » conserve une vraie capacité d'entraînement lorsque les conditions sont réunies. Cette période a été marquée par une réelle volonté de rapprochement entre l'Allemagne et la France, après une phase délicate survenue au lendemain de l'élection de Nicolas Sarkozy à la présidence de la République en 2007 (voir plus loin) dont il n'est pas dit que les symptômes ne réapparaissent pas ultérieurement, tant certains sont de nature structurelle et touchent à la question du leadership en Europe et sans doute au-delà. La réussite de la réunion du G20 de Londres des 1er et 2 avril 2009 est ainsi à mettre en partie au crédit d'une coopération franco-allemande efficace qui a permis d'élaborer une approche commune sur le thème central de la régulation financière, après une période de divergences importantes fin 2008 sur un possible plan de relance européen en période de crise, notamment pour des raisons budgétaires (voir précédemment « une nouvelle diplomatie offensive »). L'accord franco-allemand préalable à la réunion du G20 de Londres a en tout cas marqué un nouveau départ qui n'a pas été sans influence sur la position d'autres partenaires importants de la négociation. La Grande-Bretagne et les États-Unis, notamment, ont été surpris par cette cohésion franco-allemande qui a pesé de tout son poids pour obtenir un maximum de résultats concrets en matière de régulation, d'ailleurs présentés dans la déclaration finale : « l'extension de la supervision à tous les marchés, produits et institutions financières présentant un risque systémique », en particulier donc les fonds spéculatifs ; « l'extension du contrôle et de l'enregistrement aux agences de notation » ; adaptation des normes comptables ; la publication d'une liste noire des centres non coopératifs (paradis fiscaux) et la mention stipulant que « le temps du secret bancaire est révolu »[1]. Même si pour certains cela reste insuffisant, en l'absence de réglementation des rémunérations de la finance et de liste exhaustive des paradis fiscaux, les positions de l'Union européenne se sont imposées, notamment grâce à la dynamique crée par le couple franco-allemand. Ainsi se trouve actée une large partie des revendications contenues dans la lettre commune adressée le 16 mars 2009 au président de l'Union européenne d'alors, le premier ministre tchèque, et au président de la Commission européenne, par Nicolas Sarkozy et Angela Merkel qui s'annonçaient « déterminés à obtenir au sommet de Londres des résultats concrets pour le renforcement de la régulation financière internationale »[2]. Ce rapprochement portera également ses fruits au Conseil européen de Bruxelles des 18 et 19 juin 2009 au cours duquel, Londres, là encore sous pression du couple franco-allemand, a accepté ce que les divers gouvernements britanniques avaient toujours refusé : une régulation supranationale des institutions financières, avec la création du système des trois autorités de supervision européennes pour les banques, les assurances et les marchés financiers dotés de réels pouvoirs et la mise en place d'un Conseil européen du risque systémique en charge d'évaluer les menaces potentielles pesant

---

1. London Summit –Leaders' Statement, 2 avril 2009, Londres, p. 4.
2. Lettre à Son Excellence M. Mirek Topolanek, Premier ministre de la République tchèque, président en exercice du Conseil européen et à Monsieur José Manuel Barroso, président de la Commission européenne, le 16 mars 2009, p. 2.

sur la stabilité financière et d'émettre des alertes et des recommandations. On pourra noter que ce rapprochement franco-allemand efficace s'est accompagné de déclarations du président français à l'égard de l'Allemagne d'une intensité qu'on ne lui avait jamais connue : « J'aime la modernité de l'Allemagne, son authenticité ; j'aime son ouverture, cette capacité à se remettre en question, à se réformer, à préparer l'avenir. Et puis je me retrouve dans l'attachement de votre pays à des valeurs qui me sont particulièrement chères : le travail, l'effort, la justice et la franchise[1]. » La relance franco-allemande a ouvert de nouvelles perspectives, notamment lorsqu'il a été décidé de se consulter et se coordonner pour le choix des commissaires européens. En effet, au-delà de possibles approches communes que pourrait induire une telle consultation dans des secteurs clés comme l'industrie ou le marché intérieur, un enjeu majeur de la relation franco-allemande transparaît : la question du leadership (commun ?) en Europe.

En effet, depuis l'unification allemande, cette question du leadership en Europe est restée en suspens. Au moins depuis la chute du Mur de Berlin, l'Europe de l'après-guerre que l'ancien porte-parole de la Commission européenne Bino Olivi et l'universitaire Alessandro Giacone présentent dans leur ouvrage *L'Europe difficile* comme une « invention française »[2] a cessé d'exister pour deux raisons sans que des deux côtés du Rhin on se l'avoue vraiment : la modification du rapport entre la France et l'Allemagne (ou plus exactement du rapport de force) et l'élargissement aux pays nordiques et à l'Autriche d'abord et aux pays de l'Est ensuite. Le second facteur qui a conduit à ce que le centre géographique et poli-

---

1. Entretien du président de la République Nicolas Sarkozy avec *Bild am Sonntag*, 10 mai 2009, p. 2.
2. OLIVI, Bino/GIACONE, Alessandro, *L'Europe difficile. Histoire politique de la construction européenne,* Paris, Gallimard, 2007, p. 1.

tique de l'Europe ne soit plus la France, mais l'Allemagne, a été plus ou moins difficilement intégré, le premier pas du tout. La crispation intervenue au sommet de Nice tenu du 7 au 10 décembre 2000 a été la première grande éruption après la période de tensions liée à l'unification. L'observation faite par le politologue Werner Weidenfeld dans son ouvrage de référence *Une Politique étrangère pour l'unité allemande* selon laquelle les dirigeants français au moment de l'unification « étaient réservés et parfois décontenancés face à la perspective d'une Allemagne unifiée au cœur de l'Europe et à l'idée de voir leur propre rôle s'affaiblir »[1] domine encore largement dans les esprits. Car c'est bien de cela qu'il s'agit encore maintenant, certes sous d'autres formes. Au sommet de Nice, l'Allemagne revendiquait l'abandon de la parité des voix au sein du Conseil au nom de sa supériorité démographique, tandis que la France s'appuyait sur l'héritage de la construction européenne pour en exiger le maintien. Une large partie de la diplomatie française était convaincue que le chancelier allemand faisait monter la pression au sujet de la repondération des voix mais qu'il finirait par céder, selon le vieux réflexe de la primauté politique de la France – schéma qui a longtemps prévalu, surtout avant l'unification. Or, à Nice, ce précepte est devenu officiellement caduc. Sous couvert du maintien de la parité entre l'Allemagne et la France, brandi par celle-ci comme une victoire, le mécanisme retenu donnait en fait à l'Allemagne un avantage sans commune mesure avec ce qu'elle avait demandé. Quant à la repondération des voix, l'Allemagne finira par l'obtenir sous Angela Merkel avec le traité constitutionnel de Lisbonne qui lui confère 18 % des voix au Conseil (9 % dans le traité de Nice) contre 13 % à la France. Du côté français, on sent bien que ce nouveau déséquilibre pose

---

1. WEIDENFELD, Werner, *Aussenpolitik für die deutsche Einheit* (Une Politique étrangère pour l'unité allemande), Stuttgart, DVA, 1998, p. 172.

problème quand Hubert Védrine affirme : « Stupéfiant : personne, en France, n'a débattu de ce changement radical de poids relatif, de cette fin de parité avec l'Allemagne, pourtant constitutive des institutions européennes depuis le traité de Rome… Peut-être fallait-il l'accepter. Peut-être pas[1]. » Les réactions de la presse allemande à l'attitude française lors du sommet de Nice témoignent de l'acuité du débat entre la France et l'Allemagne sur la place et le statut du partenaire, interrogation qui n'a rien perdu de sa pertinence. *Die Welt* du 12 décembre 2000 évoque « une France qui n'est plus que l'ombre d'elle-même ». Le *Frankfurter Allgemeine Zeitung* du 15 décembre 2000 analyse l'obsession française de la parité comme « l'expression de la peur de devoir abandonner du pouvoir à l'Allemagne dans une Europe élargie ». À l'occasion du sommet de Nice et de sa préparation, deux aspects de la relation franco-allemande ont été pris en défaut : la ritualisation et la lourdeur des rencontres institutionnelles qui ne permettent pas d'anticiper les éventuelles crises ; l'idée française selon laquelle l'Allemagne, en cas de conflit lourd, évitera toujours, ne serait-ce que pour des raisons historiques, un affrontement public avec la France. Il fut tenté de remédier à la première difficulté en créant au lendemain du sommet de Nice un processus d'échange et de consultation plus léger et moins formel : c'est ce que l'on a pris l'habitude d'appeler « les rencontres de Blaesheim », nom du village alsacien où s'est tenue la première réunion de ce type, le 31 janvier 2001, sans ordre du jour officiel, avec seulement le chef de l'État français, le chancelier, le Premier ministre français et les deux ministres des Affaires étrangères. Quant au second aspect, il est plus délicat, tant il concerne la culture politique et l'histoire diplomatique de chacun des deux pays. Il montre que la France est victime jusqu'à nos jours d'une « sur-interprétation

---

1. VEDRINE, Hubert, *Continuer l'histoire*, Paris, Flammarion, 2008, p. 105.

historique » de la relation franco-allemande, alors que l'Allemagne aimerait en quelque sorte dépasser cette justification par l'histoire. La France reste prisonnière – quoique l'on dise – d'une conception selon laquelle l'intégration européenne permet d'encadrer le voisin d'outre-Rhin. Cette vision de l'après-guerre n'est jamais totalement absente des réflexions françaises sur l'Allemagne. Au lendemain de la Seconde Guerre mondiale, la France déçue et inquiète d'être rabaissée, n'obtenant une zone d'occupation en Allemagne qu'*in extremis* a trouvé une nouvelle vocation : être l'initiatrice de la nouvelle Europe qui devait permettre un contrôle du voisin germanique, analyse qui perdurera longtemps dans la diplomatie française, à tout le moins jusqu'à l'unification, voire au-delà. Dans une lettre du 7 octobre 1948, Robert Schuman évoque ainsi la nécessité de « présenter à l'imagination française un système continental où l'Allemagne ait sa part et son rôle »[1], s'inspirant directement de ce que ses diplomates recommandaient peu de temps avant, à savoir « lier l'Allemagne » par l'Europe. Quant au premier président de la République d'après-guerre, Vincent Auriol, il observe, le 26 septembre 1951, que cette Europe naissante peut à la fois exercer un contrôle sur l'Allemagne et faire « l'arbitrage entre la Russie et l'Amérique, surtout s'il est dirigé par nous »[2]. Dans sa vaste étude sur *Les Relations franco-allemandes de 1949 à 1963*, Ulrich Lappenküpper observe qu'il faut attendre que « le concept d'intégration l'emporte sur celui de domination »[3] (dans l'esprit des dirigeants français) pour

1. POIDEVIN, Raymond, *Robert Schuman. Homme d'État*, Paris, Fayard, 1986, p. 221.
2. AURIOL, Vincent, *Journal du septennat 1947-1954*, tome V, Paris, Colin, 1977, p. 487.
3. LAPPENKÜPPER, Ulrich, *Die deutsch-französischen Beziehungen 1949-1963* (Les Relations franco-allemandes de 1949 à 1963), tome I, *Von der Erbfeindschaft zur Entente élémentaire* (De la haine héréditaire à l'entente élémentaire), München, Oldenbourg Verlag, 2001, p. 4.

qu'une nouvelle époque de la relation franco-allemande ne s'esquisse, ouvrant la voie aux grandes avancées de la construction européenne bien connues : plan Schuman, communauté européenne du charbon et de l'acier, traités de Rome... Mais il note également que la méfiance et l'obsession du contrôle demeurent longtemps dans les esprits français, avec le risque de transmission d'une génération à l'autre. D'ailleurs en 1997, lors d'un colloque sur la politique étrangère de François Mitterrand, François Scheer, ancien secrétaire général du Quai d'Orsay, avant de devenir ambassadeur à Bonn, exposa en toute franchise l'état d'esprit de la diplomatie française au moment de l'unification : « Nous avons toujours été plus à l'aise avec plusieurs Allemagne qu'avec une seule. Nous avons inventé en 1950 un "truc" pour gérer la perspective d'une Allemagne réunifiée, c'est l'Europe. Même si nous avons accueilli sans enthousiasme la réunification, nous avons pu néanmoins l'assumer parce que nous avions l'Europe[1]. » La crise franco-allemande au sommet de Nice de décembre 2000 est, après les tensions apparues au moment de l'unification mais canalisées par la relance de l'intégration européenne sous l'égide de François Mitterrand et Helmut Kohl, la première manifestation forte de la volonté de l'Allemagne « post-kohlienne » de rompre avec un schéma ancien et d'ajouter à la légitimité historique, qui n'est pas contestée, la légitimation politique, c'est-à-dire une approche sur un pied d'égalité du présent et de l'avenir. Certains pensent même outre-Rhin que l'Allemagne devrait s'émanciper de cette relation franco-allemande qui l'enferme dans un rapport bilatéral ne correspondant plus à son niveau de « grande puissance ». Ce discours, certes encore minoritaire, n'en révèle pas moins une évolution des mentalités, portée, entre autres, par certains intellectuels comme

---

1. COHEN, Samy (éd.), *Mitterrand et la sortie de la guerre froide*, Paris, PUF, 1998, p. 57.

l'historien Christian Hacke qui soutient : « En Allemagne, l'importance de la relation franco-allemande continue à être surestimée. La France cherche à travers l'Union européenne à profiter économiquement de l'Allemagne tout en la contrôlant politiquement… Le rôle de partenaire junior dans une relation avec la France n'est plus adapté à la situation de l'Allemagne[1]. » Dans un certain sens, Angela Merkel, en évoquant régulièrement la Pologne comme le « deuxième grand voisin »[2] de l'Allemagne relativise la prédominance de Paris. Quant au philosophe Peter Sloterdijk, il considère que l'Allemagne qui est « depuis un certain temps en train de se défaire de son rôle transitoire d'idiot de la famille européenne et d'évoluer vers celui d'égoïste politique normal »[3] a perdu de sa passion pour la France.

Cette relativisation du partenaire est liée à une interrogation sur la capacité de la France à exercer un rôle de leadership en Europe qui ne lui reviendrait plus. Cette contestation s'est récemment appuyée sur deux éléments : la crise franco-allemande survenue au printemps 2008 à l'occasion des négociations sur la création de l'Union pour la Méditerranée et le désir exprimé par la présidence française de l'Union européenne d'institutionnaliser une gouvernance de la zone euro. La crise relative à la mise en place de l'Union pour la Méditerranée est sans doute la plus grave depuis l'unification. Pour saisir l'ampleur du malaise qui en a résulté, il faut en analyser les grands moments. Il y a là comme un rendez-vous manqué. Le projet d'Union pour la Méditerranée a été l'expression aboutie d'une rivalité à vif entre la France et l'Allemagne.

---

1. HACKE, Christian, *Die Aussenpolitik der Bundesrepublik Deutschland*, *op. cit.*, p. 571 et 573.
2. Déclaration gouvernementale de la chancelière fédérale, Angela Merkel, prononcée le 30 novembre 2005…, *op. cit.*, p. 11.
3. SLOTERDIJK, Peter, *Théorie des après-guerres. Remarques sur les relations franco-allemandes depuis 1945*, Paris, Libella- Maren Sell Editions, 2008, p. 75.

Dans la première version de ce projet présentée à l'origine par la France, seuls cinq pays de la rive Nord et cinq pays de la rive Sud de la Méditerranée devaient composer le nouvel ensemble, laissant transparaître le désir d'assurer à la France le premier rôle dans la naissance et la conduite de ce que Nicolas Sarkozy avait appelé dans son discours fondateur de Tanger du 23 octobre 2007 « l'Eurafrique, ce grand rêve capable de soulever le monde »[1]. Une partie de l'entourage du président français, incarnée par son conseiller Henri Guaino, s'est appuyée sur un vieux réflexe largement caduc selon lequel chacun des « deux grands Européens » aurait une sphère d'influence traditionnelle : l'Europe centrale et orientale pour l'Allemagne, la Méditerranée pour la France. Il en fut grossièrement déduit que l'Allemagne n'était pas concernée par la coopération avec les pays méditerranéens. Outre le fait que cette conception dénote une méconnaissance de l'histoire de l'Allemagne et de l'Europe depuis au moins le XVIe siècle de Charles Quint, alors que le Saint Empire romain germanique a toujours été engagé, parfois à ses dépens, dans « les affaires d'Italie et d'Espagne », elle indique une perception décalée de la (nouvelle) place de l'Allemagne en Europe. D'ailleurs, lors de sa rencontre avec Nicolas Sarkozy à Paris le 6 décembre 2007, Angela Merkel a jugé bon de donner en direct une leçon de géopolitique à son interlocuteur : « Nous n'avons pas de côtes sur la Méditerranée. Mais, pour autant, cela ne signifie pas que nous ne nous intéressons pas à la région méditerranéenne qui est d'une importance capitale pour l'Europe… Il ne faut pas que sur la frontière franco-allemande se dessinent des tropismes vers l'Est et le Sud[2]. » La veille de sa venue à

---

1. Discours du président de la République sur le thème de l'Union pour la Méditerranée, Palais Royal Marshan, Tanger, le 23 octobre 2007, p. 4, http:// www.elysee.fr./elyseetheque/discours.
2. Point de presse conjoint du président de la République et d'Angela Merkel, chancelière de la République fédérale d'Allemagne, Palais de l'Élysée, le 6 décembre 2007, p. 2 et 3, http://www.elysee.fr/documents.

Paris, la chancelière avait même laissé entendre que, d'après le schéma français, l'Allemagne pouvait très bien « créer une Union de l'Europe centrale avec par exemple l'Ukraine »[1]. L'initiative française a été vécue et présentée en Allemagne comme un moyen de retrouver une prédominance perdue en Europe, le *Frankfurter Allgemeine Zeitung* du 13 mars 2008 estimant que la France « cherche à retrouver le premier rôle qu'elle a perdu depuis l'élargissement à l'Est ». Sous la pression de l'Allemagne – à laquelle se sont ralliées l'Italie et l'Espagne – la France a dû renoncer à bon nombre de ses ambitions. Comme le montre la déclaration commune publiée à l'issue du sommet fondateur de l'Union pour la Méditerranée tenu le 13 juillet 2008, à Paris, plusieurs principes et dispositions contraires à la version originelle sont affirmés, comme la continuité avec le processus de Barcelone « seule enceinte dans laquelle les partenaires euro-méditerranéens procèdent à des échanges de vue et participent à un dialogue constructif » ou le fait que le nouvel ensemble « englobera tous les États membres de l'Union européenne et la Commission européenne ainsi que les autres États du processus de Barcelone », élargi à la Bosnie-Herzégovine, la Croatie, Monaco et le Monténégro. La coprésidence ne reviendra pas systématiquement à la France puisque « l'un des présidents sera originaire de l'Union européenne et l'autre d'un pays partenaire méditerranéen »[2]. Seuls les grands secteurs où les projets interviendront rappellent le projet français : dépollution, autoroutes de la mer, énergies, enseignement supérieur… Le bras de fer entre la France et l'Allemagne au sujet de l'Union pour la Méditerranée, finalisée à la rencontre de Barcelone du

---

1. *Frankfurter Allgemeine Zeitung*, 7 décembre 2008.
2. Sommet de l'Union pour la Méditerranée du 13 juillet 2008. Déclarations officielles de politique étrangère. Ministère des Affaires étrangères, Bulletin d'actualité du 15 juillet 2008, VI.

4 novembre 2008, s'est non seulement révélé humiliant pour la France mais il a aussi durablement laissé des traces dans la relation franco-allemande. Aussi lorsque Nicolas Sarkozy a suggéré lors de la présidence française de l'Union européenne du second semestre 2008 que « le vrai gouvernement économique de l'Eurogroupe, c'est un Eurogroupe qui se réunit au niveau des chefs d'État et de gouvernement »[1], Berlin a immédiatement fait savoir qu'il n'était pas question d'institutionnaliser cette instance qui restait une réunion des ministres des Finances et… suspecté la France de vouloir ainsi indirectement prolonger sa présidence en trouvant là une nouvelle forme de leadership déguisé. Ainsi, dans le *Frankfurter Allgemeine Zeitung* du 3 novembre 2008, Günther Nonnenmacher, une des grandes plumes du journal, réagit à la proposition française en soupçonnant Paris d'inventer une gouvernance différente de celle pratiquée habituellement, soit à travers « un gouvernement de la zone euro » soit par « un directoire des grands pays », pour mieux s'assurer que « la France joue un rôle central ». Deux ambitions s'affrontent. D'un côté, l'Allemagne revendique à la fois un rôle et des responsabilités internationales en adéquation avec son nouveau statut de « puissance d'influence mondiale ». D'un autre côté, la France qui se voit disputer le premier rôle a du mal à se situer dans l'Europe élargie. La relation franco-allemande ne peut pas faire l'économie de ce double débat.

---

1. Discours de M. le président de la République devant le Parlement européen à Strasbourg, le 22 octobre 2008, p. 2, http://www.elysee.fr/elyseetheque/discours 2008.

2

L'éclatement du paysage politique

Depuis son accession à la chancellerie en 2005, Angela Merkel a modifié, par son élection, par son origine mais aussi par son mode de gouvernance, la culture politique allemande : pour la première fois dans l'histoire de l'Allemagne, une femme exerce les fonctions de chancelier(e) ; pour la première fois, une personnalité issue de l'ex-Allemagne de l'Est a accédé à cette fonction ; par son mode de gouvernement qui fait du chancelier moins celui qui « détermine la politique du gouvernement » selon l'article 65 de la constitution qu'un modérateur, soucieux de maintenir l'équilibre entre ses composantes. Contrairement à ses concurrents potentiels ou réels, elle n'était pas « programmée » pour devenir chancelière, n'ayant traversé aucune des étapes traditionnelles de la socialisation politique, *Der Spiegel* du 11 mai 2009 affirmant même qu'elle avait « ces vingt dernières années traversé la société allemande comme une fusée ». Née à l'Ouest, à Hambourg, avant de partir avec ses parents à l'Est, elle incarne mieux que quiconque l'histoire des deux Allemagne. En fait, ce qui aurait pu être un handicap, son passé à l'Est, se révèle une force, d'après le regard que porte Dirk Kurbjuweit, journaliste politique, dans son ouvrage *Angela Merkel. Une chancelière pour tous ?* : la prudence, « prudence dans le choix des mots », du fait d'un langage nécessairement sous contrôle à l'époque de l'Allemagne de l'Est ; « la maîtrise de soi » qui laisse peu de place à la spontanéité lui conférant « un côté secret, voire inquiétant » ; la capacité et la « volonté de trouver l'équilibre » entre différentes positions, après une analyse rationnelle et quasi-scientifique des différents aspects d'un problème, avec le regard de la chimiste qu'elle fut. Ces dispositions conféreraient à Angela Merkel un profil « qui convient bien au système politique de la République fédérale »[1] de la post-unification de plus en plus marqué par l'effritement du paysage politique impliquant l'obligation, pour gouverner, de constituer des alliances, entre deux voire trois partis et donc de disposer d'un sens du consensus. Son biographe Gerd Langguth relève qu'en 1989, après la chute du Mur, elle était « à la recherche d'un parti »[2] et qu'elle n'était donc pas fixée idéologiquement, ce qui pourrait expliquer son aisance (son « plaisir caché » ?) à travailler avec d'autres forces politiques que l'union chrétienne-démocrate. Arrivée sur la scène politique avec un programme libéral qui avait failli lui coûter sa victoire en 2005, Angela Merkel a, selon les termes mêmes de ses défenseurs comme de ses détracteurs, « social-démocratisé » la CDU – et pas seulement à la lumière des mesures prises pour faire face à la crise financière et économique de 2008-2009 – ce qui lui vaut d'occuper certes un espace politique plus large, au détriment des sociaux-démocrates, mais favorise l'ascension du parti libéral (FDP). Si la partie droite de l'échiquier se fragmente, l'espace à gauche est encore plus éclaté avec l'installation durable d'une gauche radicale à travers *Die Linke* – qui subit, il est vrai, des fluctuations dans les résultats électoraux – et un affaissement inédit de la social-démocratie, dont une partie de l'électorat glisse également vers les verts. L'Allemagne, à juste titre fière de la stabilité politique et institutionnelle conférées par les institutions créées à la naissance de la

---

1. KURBJUWEIT, Dirk, *Angela Merkel. Die Kanzlerin für alle?* (Angela Merkel. La chancelière pour tous ?), München, Carl Hanser Verlag, 2009, p. 36, 63 et 155.
2. LANGGUTH, Gerd, *Angela Merkel*, München, DTV, 2005, p. 120.

République fédérale en 1949, a glissé vers un système de cinq partis politiques qui tend à affaiblir, notamment à l'Est, les grands partis populaires traditionnels à vocation majoritaire (*Volksparteien*), notamment le parti social-démocrate. Or, la force de ces derniers est encore présentée comme une des caractéristiques du succès de la République fédérale d'avant l'unification, loin de l'effritement des premières élections fédérales du 14 août 1949 à l'issue desquelles onze partis étaient représentés au parlement fédéral, faisant à l'époque craindre un retour à la « situation de Weimar », impression évanouie à partir des élections fédérales suivantes de 1953 avec six partis représentés et surtout celles de 1957 avec quatre partis représentés. L'étude de cette évolution du paysage politique doit aussi se lire à la lumière de l'analyse du sociologue Paul Nolte dans son étude *Le Risque de la modernité*, selon laquelle l'Allemagne apparaît à la fois « hostile à la notion de risque », attachée à « une conception unidimensionnelle et conventionnelle de la justice fondée sur la répartition », aveugle devant l'émergence d'une « nouvelle société de classes »[1] et donc en délicatesse pour relever les défis du XXIᵉ siècle, éducation, emploi, intégration, alors que parallèlement « la demande d'État » s'accroît, 57 % des Allemands souhaitant son intervention plus soutenue pour tempérer les conséquences de la crise[2].

UNE SOCIAL-DÉMOCRATIE EN CRISE

Le plus vieux parti de l'histoire politique allemande, le parti social-démocrate d'Allemagne (SPD), né en 1869, à Eisenach,

---

1. NOLTE, Paul, *Riskante Moderne. Die Deutschen und der neue Kapitalismus* (Le Risque de la modernité. Les Allemands et le nouveau capitalisme), München, Beck, 2006, p. 15, 113 et 96.

2. *Schwache Vorbehalte gegen Eingriffe* (Faibles réserves face à l'interventionnisme), Institut Allensbach, *Frankfurter Allgemeine Zeitung*, 25 février 2009.

sous l'appellation de parti social-démocrate des travailleurs, connaît une crise d'une ampleur inédite depuis 1949, frôlant dangereusement les 20 % lors de consultations à dimension nationale, comme les élections européennes du 7 juin 2009 où il n'a recueilli que 20,8 % des voix, son plus mauvais score depuis la naissance de cette élection en 1979. Un tel résultat peut remettre en cause son statut de « grand parti » à vocation majoritaire dont les scores électoraux devraient plutôt correspondre à 30 % dans les mauvais moments et les dépasser largement dans les bonnes périodes. Une des conséquences directes de cet affaissement de la social-démocratie allemande est la perte d'influence générale du « bloc » constitué par les deux grands partis traditionnels, le parti social-démocrate et l'union chrétienne-démocrate (CDU), autour desquels s'était structurée la vie politique allemande depuis 1949 et qui constituaient les pivots des coalitions, le plus souvent en faisant alliance avec un partenaire junior, les libéraux ou les verts, ou en formant une grande coalition. Ainsi, les deux grands partis SPD et CDU réunissaient 82 % des suffrages aux élections fédérales de 1957 (majorité absolue de la CDU), 87 % en 1983 (entrée des verts au parlement fédéral), 77,3 % en 1990 (première élection panallemande, entrée des néocommunistes au parlement fédéral), 76,1 % en 1998 (élection de Gerhard Schröder à la chancellerie) et 69,5 % en 2005 (élection d'Angela Merkel à la chancellerie), avec un effritement encore plus important dans les Länder de l'Est. Ce rapport plus distendu aux grands partis traditionnels, en premier lieu le parti social-démocrate, remet en cause un des fondements mêmes de la culture politique allemande. Autre élément du malaise : pour la première fois en 2008, le nombre de membres du SPD, 525 000, est inférieur à celui de la CDU, 530 000, alors que pendant les « grandes années » sous Willy Brandt et Helmut Schmidt, le SPD pouvait dépasser le million d'adhérents, comme en 1976 et 1977. Cette observation de l'affaissement du parti social-démocrate n'est pas bien sûr liée à l'analyse du seul scrutin des élections européennes de 2009 mais est corroborée par l'étude plus affinée des résultats et du recul dans certaines régions d'Allemagne, notamment à l'Est, où il n'arrive plus régulièrement qu'en troisième position (voir plus loin le sous-chapitre « Le clivage Est/Ouest »). Même à l'Ouest, les élections européennes et municipales du 7 juin 2009 confirment le processus d'érosion que connaissent les sociaux-démocrates. Ainsi lors des élections municipales du Bade-Wurtemberg, le SPD n'a obtenu que 17 % des voix, en partie au profit des verts. Cette dernière tendance s'est claire-ment manifestée à l'occasion des élections européennes : le SPD a perdu en solde net 650 000 voix en faveur des verts, 550 000 au profit de la CDU, 330 000 en faveur des libéraux et 200 000 en direction de la gauche radicale de *Die Linke* qui aux élections de 2005 avait récupéré en solde net 960 000 électeurs sociaux-démocrates. Si l'on analyse à la fois les résultats des élections fédérales de 2005 et ceux des élections européennes de 2009 et les transferts de voix opérés dans les deux cas, on mesure le risque pour le SPD d'être « écartelé » entre sa gauche, où *Die Linke* récupère une partie de ses électeurs, et sa droite, où les verts attirent de plus en plus un électorat post-matérialiste aisé et diplômé (tableau 1), avec le risque de créer une forte instabilité. En effet, un gauchissement (voir plus loin dans ce sous-chapitre) susceptible de ramener certains élec-teurs détournés par *Die Linke* pourrait accroître le départ de l'électorat modéré vers les verts. Dans leur étude intitulée *La Longue Marche des verts*, Markus Klein et Jürgen Falter obser-vent que depuis le début des années 2000, « la seconde génération » des verts, après celle socialisée en 1968, a pris les rênes en adoptant « un positionnement pragmatique », en intégrant « l'héritage intellectuel du libéralisme responsable »[1] et en développant des idées économiques plus proches du centre droit que de la gauche, ce qui les rend « acceptables » par des électeurs modérés en rupture de parti, notamment à gauche. Une figure comme le nouveau coprésident des verts, Cem Özdemir, premier Allemand issu de l'immigration à devenir chef de parti, peut incarner cette demande multiple de tolérance, de solidarité, et de liberté, voire de libéralisme au sens large.

Tableau 1 : Transfert de voix du SPD vers les autres partis
Elections fédérales de 2005 et élections européennes de 2009 (solde net)

	2005	2009
En faveur de Die Linke	960 000	200 000
En faveur des verts	210 000	650 000
En faveur de la CDU/CSU	640 000	550 000
En faveur des libéraux	170 000	330 000

Source : Infratest 2005 et 2009.

Les élections européennes du 7 juin 2009 sont un reflet du malaise que traverse la social-démocratie allemande : perte de substance dans les nouveaux Länder de l'Est ; érosion à l'Ouest où le SPD est talonné par les verts comme à Brème ou à Hambourg ; fin de l'époque où certains « bastions » constituaient des foyers de résistance à toute vague électorale conservatrice ; recul dans l'électorat urbain diplômé ; creusement de l'écart avec la CDU (tableau 2). Dans l'ensemble de l'électorat, le parti social-démocrate souffre d'un déficit de compétences face à la CDU, selon une étude menée par l'institut Infratest en juin 2009 : qu'il s'agisse de « défendre les intérêts allemands en Europe » (25 % contre 43 %), « assurer

---

1. KLEIN, Markus/FALTER, Jürgen, *Der lange Weg der Grünen* (La Longue Marche des verts), München, Beck, 2003, p. 64 et 65.

le développement économique » (20 % contre 48 %), « maîtriser la crise économique et ses conséquences » (22 % contre 43 %), « garantir la surveillance des marchés financiers internationaux » (20 % contre 40 %), l'écart est important ; seulement lorsqu'il s'agit de « veiller à la justice sociale », le SPD devance la CDU (48 % contre 22 %).

Tableau 2 : Le recul électoral du SPD aux élections européennes 1979-2009 (en % des suffrages)

	SPD	CDU/CSU	verts	libéraux	Linke
1979	40,8	49,2	3,2	6,0	-
1984	37,4	45,9	8,2	4,8	-
1989	37,3	37,8	8,4	5,6	-
1994	32,2	38,8	10,1	4,1	4,7
1999	30,7	48,7	6,4	3,0	5,4
2004	21,5	44,5	11,9	6,1	6,1
2009	20,8	37,9	7,5	11,0	7,5

Source : Office fédéral de la statistique, 2009

Une des difficultés du parti social-démocrate que les élections européennes de 2009 ont cristallisée, déjà perceptible lors des scrutins précédents, est l'éloignement de l'électorat populaire – ouvriers et employés – qui n'est pas compensé par l'adhésion de couches moyennes, notamment supérieures et postmatérialistes, que se disputent la CDU et les verts. Sur une plus longue période, néanmoins récente, à partir des élections fédérales de 2002, l'observation du profil sociologique du transfert de voix montre que ce sont les catégories « ouvriers » et « chômeurs » qui manifestent la désaffection la plus grande à l'égard du SPD au profit notamment de la gauche radicale *Die Linke*. Même si les couches populaires votent moins lors des élections européennes et que cela aurait

Tableau 3 : Évolution de la sociologie du vote 2002-2009 ; 2002 et 2005 : élections fédérales ; 2009 : élections européennes (en %)

	SPD			CDU/CSU			verts			Libéraux			Die Linke		
	2002	2005	2009	2002	2005	2009	2002	2005	2009	2002	2005	2009	2002	2005	2009
Résultat	38,5	34,3	20,8	38,5	34,3	37,9	8,6	8,1	12,1	7,4	9,8	11	4	8,7	7,5
Ouvriers	41	37	22	38	31	35	5	5	8	6	8	10	5	12	10
Employés	37	36	21	35	31	34	13	11	17	8	11	13	3	7	6
Indép.	19	21	11	48	42	38	14	12	17	14	19	21	2	6	4
Retraités	39	36	22	44	42	46	5	4	6	5	9	8	5	7	9
Chômeurs	39	31	19	29	24	21	9	7	11	7	8	10	10	23	21

Source : Groupe d'analyse électorale de l'université de Mannheim, 2005 et 2009.

tendance à défavoriser la partie gauche de l'électorat, le scrutin européen de juin 2009 est un nouvel avertissement pour le SPD puisque 35 % des ouvriers et 34 % des employés ont voté en faveur de la CDU/CSU contre seulement 22 et 21 % pour le SPD qui ne perce pas dans la catégorie de la couche moyenne, les fonctionnaires, et encore moins chez les indépendants. Toutes proportions gardées en raison des différences de mode de scrutin entre élections fédérales et élections européennes, l'évolution entre 2002 et 2009 est révélatrice de la crise d'identité que traverse la social-démocratie allemande. Outre le recul général du SPD – contrairement à la CDU/CSU qui se maintient entre 34 % et 38 % – le socle populaire fond à vue d'œil (tableau 3).

Ce qui a, pendant longtemps, constitué une caractéristique de la social-démocratie allemande, le lien intrinsèque avec le monde syndical, est aussi soumis à rude épreuve. Les parlementaires sociaux-démocrates membres d'un syndicat ne représentent plus que de 59 % du groupe parlementaire contre 74 % en 1990 et 90 % en 1987, ce à quoi il faut ajouter le fait qu'une large partie de ces députés syndiqués sont issus des syndicats des services publics, tandis que IG Metall est sous-représenté. Les ouvriers syndiqués, qui ont constitué pendant très longtemps une avant-garde de la base sociale-démocrate, ne se reconnaissent plus actuellement dans le SPD. Une partie des responsables sociaux-démocrates considère même que la proximité supposée entre les syndicats et le SPD ne constituerait plus nécessairement une force tant l'image des premiers s'est dégradée dans l'opinion publique. Il n'en reste pas moins vrai que c'est là aussi un pan important de l'identité sociale-démocrate qui s'effrite tant les liens ont été forts dans le passé, même lorsque les sociaux-démocrates ont exercé des responsabilités gouvernementales, par exemple pendant la mise en place de « l'action concertée » à partir de 1967 ou lors de l'expansion de l'État providence à partir de 1971-1972 : c'est une histoire commune qui s'éloigne. Le « découplage » entre syndicats et parti social-démocrate a aussi une raison structurelle : tandis que la confédération des syndicats allemands (DGB) est restée dans sa composition majoritairement ouvrière avec une part des ouvriers, 52 %, très supérieure à leur présence dans la société, 29,9 %, le SPD vit une situation inverse puisque la proportion de ses membres issus du monde ouvrier, 12 %, est inférieure à ce que ceux-ci représentent dans la société, tout comme d'ailleurs la proportion des employés qui, avec l'émergence de la société de services aurait pu compenser. Or, il n'en est rien si bien que le rapport au monde salarié s'en trouve nécessairement distendu (tableau 4). Tandis que le SPD s'est éloigné, voire affranchi de ses origines ouvrières encore très nettes jusque dans les années 1970, les syndicats n'ont pas connu le même phénomène. Il en résulte l'existence de deux cultures différentes, voire dans certains cas opposées.

Tableau 4 : Part des ouvriers et employés dans la société, au SPD et DGB (en %)

	1950	1970	1980	1990	2000	2006
Ouvriers Société	48,8	47,4	42,3	37,4	33,4	29,9
SPD	45,0	34,5	27,4	26,0	19,3	12,1
DGB	83,2	75,8	68,2	66,6	60,2	52,8
Employés Société	16,5	29,6	37,2	43,3	48,5	51,2
SPD	17,0	20,6	23,4	26,6	27,8	23,9
DGB	10,5	14,7	21,0	23,3	28,6	30,8

Sources : Direction fédérale du SPD, DGB et Office fédéral de la statistique, 2008.

Les difficultés du parti social-démocrate, dont le candidat à la chancellerie pour 2009, Frank Walter Steinmeier, se croit obligé de rappeler, le 14 juin 2009 à Berlin, en présentant son programme pour les élections fédérales de 2009 que « c'est un grand parti, un parti de masse… qui ne se résume pas à une association de groupes clientélistes »[1], sont essentiellement liées à son incapacité à assumer – ou à rejeter – clairement les réformes conduites par Gerhard Schröder à partir de 2002-2003, même si le phénomène d'usure joue aussi un rôle dans cette désaffection, ce parti exerçant des responsabilités gouvernementales nationales depuis 1998, soit en dirigeant le gouvernement soit en étant membre d'une grande coalition au sein de laquelle il a du mal à apparaître comme alternative. L'objectif des réformes de Gerhard Schröder était de repenser le concept de justice sociale en rompant avec la tradition sociale-démocrate trop tournée, selon lui, vers la redistribution et l'assistance. Ce tournant réformiste est généralement associé à un ensemble de réformes de la protection sociale et du marché du travail – notamment la loi Hartz IV, du nom de l'ancien directeur du personnel de Volkswagen qui a conduit la réflexion sur le sujet, instaurant un nouveau mode d'indemnisation du chômage basé sur une simplification et une réduction du montant des allocations-chômage – connues sous le nom d'*Agenda 2010* (voir au chapitre III : « La nouvelle réalité sociale »), dont le but est d'abaisser le coût du travail et de responsabiliser l'individu, ainsi qu'au discours prononcé par Gerhard Schröder le 14 mars 2003 devant le parlement fédéral où il annonce sa volonté d'engager « la réforme de l'État providence » et de « réduire les prestations distribuées par l'État, favoriser la responsabilité individuelle et exiger davantage de chaque individu »[2]. Mais l'esprit de cette rupture remonte à 1999 et au document Blair/Schröder qui se propo-

---

1. Discours du candidat à la chancellerie du parti social-démocrate d'Allemagne et ministre fédéral des Affaires étrangères, Frank-Walter Steinmeier, au congrès extraordinaire tenu à Berlin le 14 juin 2009, p. 9, http://www.spd.de/pressestelle@spd.de.
2. Déclaration gouvernementale du chancelier fédéral, Gerhard Schröder, prononcée devant le parlement fédéral le 14 mars 2003, p. 4 et 2, http://www.bundeskanzler.de/reden2003.

sait de révolutionner la pensée sociale-démocrate en Europe. Ce texte, intitulé *La Voie en avant pour les sociaux-démocrates européens*, veut tirer les leçons du passé où « l'effort et le sens des responsabilités n'étaient pas suffisamment récompensés, et (où) la social-démocratie était associée au conformisme et à la médiocrité au lieu d'incarner l'exaltation de la créativité, de la diversité et de l'excellence », misant trop sur un État tentaculaire : « L'idée que l'État devrait remédier aux carences du marché et aux dommages qui en résultent a trop souvent conduit à un élargissement démesuré des attributions de l'État... L'équilibre entre l'individuel et le collectif était faussé. Les valeurs chères aux citoyens, comme la réussite personnelle, l'esprit d'entreprise, la responsabilité individuelle et le sens de l'appartenance à une communauté étaient trop souvent considérées comme secondaires par rapport aux mesures sociales concernant l'ensemble de la population. » Dans ce souci de rééquilibrage des valeurs, la social-démocratie doit développer une politique de l'offre favorable à l'entreprise, notamment par « la baisse de l'impôt sur les sociétés qui accroît la rentabilité et incite à investir davantage », l'augmentation des investissements entraînant celle de l'activité économique et donc la croissance, ce qui permet « d'accroître les ressources dont les pouvoirs publics disposent pour réaliser des objectifs sociaux ». Outre la réduction de l'imposition des revenus des entreprises et des plus actifs, une politique de modernisation sociale-démocrate implique une rénovation de l'État providence qui vise à « transformer le filet de sécurité des acquis sociaux en un tremplin vers la responsabilité individuelle »[1] et l'introduction d'une plus grande flexibilité sur le marché du travail. De manière plus large, les sociaux-démocrates alle-

---

1. BLAIR, Tony, SCHRÖDER, Gerhard, *Der Weg nach vorne für Europas Sozialdemokraten* (La Voie en avant pour les sociaux-démocrates européens), 8 juin 1999, Londres, version française du document in *Les Notes de la Fondation Jean-Jaurès*, n° 13, août 1999, p. 17, 18, 25 et 34.

mands vont concevoir ce que Bodo Hombach, le plus proche collaborateur du chancelier d'alors, qualifie dans son ouvrage *L'Élan. La politique du nouveau centre* comme « la rencontre historique entre le vrai libéralisme et la social-démocratie », avec pour objectif « la rénovation du modèle politique social-démocrate au-delà des catégories droite-gauche », en sachant que l'État doit se comporter comme « le siège central d'une entreprise qui intervient moins pour diriger que pour faciliter au maximum, par des adaptations organisationnelles, la productivité économique et sociale de chaque individu »[1]. Le « nouveau centre » (*Neue Mitte*), mot d'ordre du candidat à la chancellerie Gerhard Schröder pendant la campagne de 1998 et slogan du chancelier élu, visait à dépasser les clivages sociaux traditionnels pour définir un projet de société susceptible d'être accepté par tous, reposant prioritairement sur une alliance entre les différentes catégories professionnelles créatrices de richesses : « Je le sens clairement, des alliances nouvelles existent. Un sentiment d'appartenance commun lie les chefs d'entreprise, les salariés et les ouvriers qui, par leurs performances, gagnent leur vie tout en servant l'intérêt général... Je veux voir parmi nous les individualistes à l'esprit solidaire, les pragmatiques avec des visions, ceux qui agissent, les chefs d'entreprise qui considèrent comme contraire à l'esprit de notre temps le fait de ne connaître ni le pays ni les gens avec lesquels ils travaillent, les ouvriers et les artisans fiers de leurs réalisations[2]. » Ces marqueurs resteront très présents dans l'esprit de Gerhard Schröder et de ses principaux collaborateurs, dont le candidat à la chancellerie de 2009, Frank-Walter Steinmeier, même s'ils ne furent vraiment mis en

---

1. HOMBACH, Bodo, *Der Aufbruch. Die Politik der neuen Mitte* (L'Élan. La politique du nouveau centre), Düsseldorf, Econ, 1998, p. 10, 11 et 66.
2. Discours de Gerhard Schröder au congrès du parti social-démocrate d'Allemagne tenu à Hanovre du 2 au 4 décembre 1997, discours et motions du congrès, direction du SPD, Bonn, 1997, p. 105.

pratique que sous la seconde législature, après la réélection de 2002. Le prolongement de ce débat a été la publication à l'été 2003 d'une contribution d'Olaf Scholz, à l'époque secrétaire général du SPD, devenu ministre du Travail sous Angela Merkel, intitulée *13 thèses en faveur de la transformation de l'État providence et d'une politique sociale-démocrate d'avenir*. Partant du principe que « la justice telle qu'elle a dans l'Allemagne occidentale de l'après-guerre été définie, c'est-à-dire essentiellement comme une juste répartition de l'accroissement de prospérité et de revenu, n'est pas une perspective permettant de répondre aux défis actuels », pas plus qu'une justice « qui privilégie la gestion et l'attribution d'acquis matériels », il propose d'en adapter le contenu afin de tenir compte de la nouvelle réalité marquée par la fin de l'ère industrielle, la mondialisation, la naissance d'une société du savoir et la crise des finances publiques. Cela suppose notamment d'accepter une conception de la justice qui fasse une plus grande place aux notions de liberté et de participation : « Est juste ce qui place les individus en situation d'organiser leur vie comme ils le souhaiteraient. » Cela signifie que la social-démocratie doit privilégier l'éducation et le travail, sources d'émancipation et de dignité, et faire de l'État providence un « État social préventif », capable de donner aux individus les outils pour réussir, donc garantir l'égalité des chances, et non un simple État redistributeur : « La qualité d'une politique de justice sociale n'est jamais prioritairement une question de transferts sociaux. » Dans l'application de ces principes qui doivent contribuer à réduire l'exclusion, on peut être amené à considérer que « même un travail mal payé et inconfortable est préférable à une non-activité financée par des transferts sociaux »[1]. Cette tentative de redéfinir la notion de justice

---

1. SCHOLZ, Olaf, *13 Thesen für die Umgestaltung des Sozialstaates und die Zukunft sozialdemokratischer Politik* (13 thèses en faveur de la transformation de l'État providence et d'une politique sociale-démocrate d'avenir) in: *Frankfurter Rundschau*, 7 août 2003.

sociale marque le débat sur l'identité sociale-démocrate jusqu'à aujourd'hui, le politologue Franz Walter ayant alors diagnostiqué, dans son ouvrage *Le SPD. Du prolétariat au nouveau centre*, « une désidéologisation du parti social-démocrate allemand, certes arrivé au centre de la société allemande » mais marqué par une stabilité fictive qui « pourrait bien conduire à une dépression »[1]. En effet, très vite, le SPD s'est divisé sur la politique et l'héritage de Schröder, certains sociaux-démocrates comme le député Ottmar Schreiner, président de l'Association des salariés sociaux-démocrates et ancien secrétaire général du parti, déplorant publiquement qu'« une partie du SPD veuille nous ramener au XIXe siècle »[2], ou Hans-Peter Bartels, également parlementaire, qui dans son ouvrage *Le Capitalisme victorieux*, reproche à ses amis de « s'être laissé influencer par les fonda-mentalistes libéraux, les prophètes d'une domination de l'économie sur tous les domaines de la société » et d'avoir, de ce fait, privilégié les élites diplômées, à l'aise avec la mondiali-sation, et oublié « ceux qui voient dans une telle flexibilité une menace – pas uniquement matérielle – de leur existence »[3]. Le monde syndical s'émeut également. Michael Sommer, prési-dent de la Confédération des syndicats allemands, par ailleurs membre du SPD, soutient alors qu'une « politique qui aban-donne le principe fondamental de la solidarité fait fausse route »[4], tandis que le président des syndicats des services Verdi, Franz Bsirske, pourtant connu pour son profil réfor-miste, affirme : « Nous rejetons le caractère injuste car unila-téral des sacrifices imposés aux gens modestes par l'*Agenda*

1. WALTER, Franz, *Die SPD. Vom Proletariat zur Neuen Mitte* (Le SPD. Du proléta-riat au nouveau centre), Berlin, Alexander Fest Verlag, 2002, p. 263.
2. *Die Welt*, 8 février 2003.
3. BARTELS, Hans-Peter, *Victory-Kapitalismus* (Le Capitalisme victorieux), Köln, Kiepenheuer und Witsch, 2005, p. 12 et 205.
4. *Die Zeit*, 8 mai 2003.

2010... Le SPD n'a jamais eu de majorité politique sans l'électorat proche des syndicats[1]. » Cette image à la fois de « froideur sociale » et de division ne quittera plus le SPD, bien au-delà du départ de Gerhard Schröder de la chancellerie en 2005. Lors du congrès de Hambourg tenu du 26 au 28 octobre 2007, le SPD a tenté de modifier son profil en replaçant la « question sociale » au cœur du débat et en corrigeant certains aspects des réformes Schröder, notamment celles consacrées à la réforme du marché du travail. Le parti a ainsi adopté *Neuf points en faveur d'une Allemagne sociale*[2] dont les plus saillants sont : l'allongement du versement de l'allocation chômage à 15 mois (au lieu de 12) pour les plus de 45 ans, à 18 mois pour les plus de 50 ans ; l'instauration d'une prime à l'emploi pour les salariés les plus modestes ; l'application d'un salaire minimum au secteur de l'emploi temporaire. La volonté de réorienter le SPD s'est aussi traduite par les accents du nouveau programme fondamental intitulé *La Démocratie sociale au XXIe siècle*, qui remplace celui de 1989. Outre la réhabilitation du concept de « socialisme démocratique », le texte insiste sur la nécessité de « promouvoir plus d'égalité dans la répartition des revenus, du patrimoine et du pouvoir ». L'idée centrale est de ne pas subir la mondialisation mais d'en avoir le contrôle et l'organiser. Si les États nationaux doivent jouer un rôle essentiel dans cette démarche, notamment à travers « un État providence préventif »[3], grâce surtout à la formation tant initiale que continue, il fait également appel à une coordination et une coopération internationales accrues, avec la fixation au niveau mondial de normes sociales et environnementales. Cette volonté de rééquilibrage en faveur du « social » se retrouve dans le programme de gouvernement adopté dans le

---

1. *Handelsblatt*, 18 novembre 2003.
2. *Neun Punkte für ein soziales Deutschland* (Neuf points en faveur d'une Allemagne sociale), direction du SPD, Berlin, 2007.
3. *Soziale Demokratie im 21. Jahrhundert..., op. cit.*, p. 8 et 28.

cadre des élections fédérales de 2009, intitulé *Social et démocratique*[1]. Deux priorités se dégagent nettement, la politique sociale et la politique éducative, pour lesquelles « un État efficace et financé par la solidarité » doit être à l'œuvre. Cela passe par une réforme fiscale allégeant les bas et moyens revenus – avec un abaissement du taux inférieur de l'impôt sur le revenu de 14 à 10 % – et une augmentation du taux supérieur de 45 à 47 % (à l'opposé de la politique conduite sous Gerhard Schröder) ainsi que l'introduction d'une taxe sur les bénéfices boursiers de 0,5 à 1,5 %. Autre gage en faveur de plus de justice sociale : l'établissement généralisé d'un salaire minimum (7,50 euros par heure). On notera dans la version définitive de ce programme de gouvernement de nombreux ajouts par rapport au premier texte présenté en avril 2009. Ces ajouts se caractérisent par une critique plus forte des excès du capitalisme et des défenseurs du « radicalisme des marchés » : « Des millions de salariés dans le monde et d'innombrables entreprises doivent maintenant payer pour ceux qui, obsédés par la chasse aux taux de rendements, ont créé cette situation catastrophique. » Il revient au pouvoir politique de veiller à « une répartition solidaire des charges qui associe ceux qui sont responsables de la crise et les plus aisés » et de faire en sorte que « les marchés soient intégrés dans une société à la fois forte et solidaire ». La réhabilitation de l'État est au cœur du projet… là encore en rupture par rapport à l'ère Schröder. L'État « garantit aux citoyens la sécurité et des services publics efficaces », pose « les fondements de l'épanouissement individuel et de la prospérité générale », veille à « une répartition juste des revenus et de la propriété » et assure la cohésion

---

1. *Sozial und Demokratisch. Anpacken für Deutschland* (Social et démocratique. Agir pour l'Allemagne), programme gouvernemental adopté au congrès extraordinaire de Berlin, le 14 juin 2009, http://www.spd.de/parteiprogramme/regierungsprogramm2009.

sociale, notamment par une politique éducative ambitieuse, sous la forme d'un « nouveau consensus éducatif »[1] visant à réduire l'échec de la petite enfance à l'université. La difficulté pour le SPD réside dans le fait que ce « gauchissement » et le retour de la pensée de l'État sont prônés par ceux-là même qui ont précédemment accompagné le chancelier Schröder dans une autre direction, créant là un vrai problème de crédibilité dans l'opinion publique. Si le SPD souffre d'un manque de leadership, après le départ de Gerhard Schröder, et plus généralement d'une partie de « la génération Schröder » – qui est aussi la « génération de 1968 » – provoquant un renouveau d'un quart du groupe parlementaire à l'issue des élections fédérales du 27 septembre 2009, et pâtit de la difficulté à définir clairement son rapport à la gauche radicale (voir sous-chapitre suivant : « Une nouvelle gauche radicale »), c'est d'abord l'incapacité à gérer « l'héritage Schröder » et donc l'image de flou qui en résulte qui pèse sur le parti social-démocrate.

UNE NOUVELLE GAUCHE RADICALE

L'année 2007 marque un tournant dans l'histoire politique et électorale allemande. Pour la première fois depuis 1946-1947, un parti se situant à la gauche du SPD, *Die Linke*, « La Gauche », franchissant les 5 % constitutionnellement nécessaires pour siéger, est entré simultanément dans plusieurs parlements régionaux ouest-allemands : en Hesse, en Basse-Saxe et à Hambourg. C'est un curieux retour de l'histoire. Certes à la suite des élections régionales de 1946-1947 dans la partie occidentale de l'Allemagne où il obtint 9,4 % des suffrages – dépassant même 10 % en Bade-Wurtemberg, à Hambourg et en Rhénanie-du-Nord-Wesphalie – le parti

---

1. *Ibidem*, p. 32, 5, 7, 6 et 29.

communiste d'Allemagne (DKP) avait pu occuper une place sur l'échiquier politique, confirmée par son score de 5,7 % aux élections fédérales de 1949. Mais il s'éclipsa ensuite très vite de la vie politique allemande (2,2 % aux élections fédérales de 1953), bien avant son interdiction par la Cour constitutionnelle en 1956. Réapparu en 1969 sous l'appellation de parti communiste allemand (également avec le sigle DKP), ses succès électoraux ne furent pas meilleurs. De même, si une autre forme de gauche radicale tenta de se structurer dans les années 1966-1968, notamment sous la forme de la gauche démocratique et de l'opposition extraparlementaire, les succès électoraux ne furent pas au rendez-vous, excepté dans quelques villes industrielles et/ou universitaires comme Mannheim et Stuttgart. Après la fin du terrorisme des années 1970, le débat sur la gauche radicale dans le paysage politique allemand disparut. Ce n'est qu'au lendemain de l'unification, avec la présence, dans les Länder de l'Est, du parti du socialisme démocratique (PDS), en partie héritier – mais pas uniquement – de l'ancien parti communiste d'Allemagne de l'Est, le parti socialiste unifié (SED), que cette notion et cette discussion réapparaissent – dans un contexte et avec un contenu différents, bien sûr. La présence de cette autre forme de gauche radicale a été interprétée par une large majorité de politologues et d'observateurs comme un phénomène passager, l'expression momentanée d'une déception à l'égard d'un processus d'unification qui devait nécessairement faire des « perdants ». Cette gauche à la gauche du parti social-démocrate était censée disparaître avec la diminution du nombre des « perdants » de l'unification et le retour, notamment à l'Est, à une situation économique et sociale plus favorable. Or, il n'en a rien été. Cette gauche radicale s'installe durablement dans le paysage politique allemand, jusqu'à dépasser les sociaux-démocrates dans certains Länder orientaux (voir plus loin le sous-chapitre : « Le clivage Est/Ouest ») et à fragiliser leur base à l'Ouest. Au-delà des résultats électoraux, *Die Linke* influence le débat politique intérieur et l'évolution des deux grandes formations politiques, le parti social-démocrate et l'union chrétienne-démocrate, le premier se divisant sur le rapport à établir avec *Die Linke*, la seconde qui perçoit une possible « gauchisation » du SPD soucieux de se prémunir sur sa gauche, revendiquant pour elle seule l'idée de « centre » qui, jugée positive par 64 % des Allemands, est capitale dans la vie politique allemande.

L'actuel parti *Die Linke* est issu d'une fusion lancée le 17 juin 2005 en prévision des élections fédérales anticipées du 18 septembre suivant et finalisée au congrès de Dortmund des 15 et 16 juin 2007, entre le PDS, parti régional post-communiste créé le 17 décembre 1989 dans le sillon du SED, et l'alternative électorale pour le travail et la justice (*Wahlalternative Arbeit und soziale Gerechtigkeit* WASG), constituée, entre autres, par des dissidents du parti social-démocrate, des syndicalistes et des militants altermondialistes hostiles aux réformes menées par l'ancien chancelier Gerhard Schröder (voir sous-chapitre précédent « La crise de la social-démocratie » et chapitre III). Ce rapprochement a d'abord été engagé pour permettre aux deux composantes d'atteindre une dimension nationale, le PDS ne parvenant pas à « percer » à l'Ouest et devant se contenter d'une « existence est-allemande », tandis que la WASG avait une topographie et une sociologie quasi exclusivement ouest-allemandes (responsables syndicaux de l'Ouest, anciens membres du SPD et des verts, adhérents d'Attac, militants trotskistes…). Dans un document de la direction de ce qui était encore en 2005 le PDS, la double perspective d'un rapprochement et d'un changement de dénomination est à a fois justifiée par la nécessité « d'opposer à la grande coalition favorable au recul de la démocratie et de l'État providence et aux défenseurs d'une concurrence débridée une force de gauche puissante proposant des alternatives sociales et écologiques », par le devoir de favoriser un « ancrage dans les Länder de l'Ouest » et par la volonté de « saisir la chance historique de dépasser la division de la gauche allemande »[1]. C'est aussi au nom de cet objectif qu'est défendue la coopération avec Oskar Lafontaine, ancien président du SPD et ministre des Finances de Gerhard Schröder. Lafontaine est encore considéré à l'Est comme trop ouest-allemand, notamment en raison de ses positions négatives sur l'unification en 1989-1990 lorsqu'il rejetait la perspective d'un retour de l'État national allemand. Il a annoncé en mai 2005 sa démission du SPD, son adhésion à la WASG et son souhait de participer à l'opposition à la politique « néolibérale » de ses anciens amis sociaux-démocrates. La préexistence à l'Est du parti néocommuniste PDS (voir plus loin le sous-chapitre sur « le clivage Est/Ouest ») a servi de rampe de lancement à *Die Linke*. En dépit de cultures politiques différentes – toujours source de tensions –, l'apport du PDS à la constitution d'une force de gauche radicale est un élément central. Le lancement de *Die Linke* a pu s'appuyer sur la structure et l'implantation du PDS, le rapprochement engagé peu de temps avant les élections fédérales de septembre 2005 prévoyant une ouverture des listes néocommunistes aux membres de la WASG. L'attitude des Allemands de l'Est qui, dès le lendemain de l'unification, ne voient dans le parti social-démocrate ni le parti des « petites gens » ni celui de la contestation et préfèrent voter en faveur du PDS, va connaître à partir du début des années 2000, en lien d'ailleurs avec les réformes Schröder, un prolongement à l'Ouest qui sera vite capté par la WASG. Chronologiquement, les prémices d'une structuration à l'Ouest d'une gauche

---

1. *PDS in Linkspartei umbenannt* (Le PDS est rebaptisé parti de la gauche), direction du PDS, Berlin, 2005, p. 1.

radicale remontent aux premières manifestations de mécontentement à l'égard de ces réformes. Cette politique a été vécue par une partie de la gauche comme une trahison, sentiment partagé notamment par des syndicalistes et des sociaux-démocrates qui ont alors choisi de quitter leur parti pour construire une alternative à gauche du SPD. La réception négative de ces réformes a donc constitué une césure et lancé le processus d'élaboration d'une force de gauche radicale. Oskar Lafontaine a même parlé de « lois de la honte »[1] et dénoncé dans son ouvrage *La Colère monte*, réédité opportunément en 2003, « la répartition du bas vers le haut » et « une réforme qui signifie moins d'État providence et moins de droits pour les salariés »[2]. Un mouvement plus large s'organise alors à travers une série de manifestations organisées sur le modèle des protestations ayant précédé et précipité en 1989 la chute du Mur. Lors de la manifestation du 30 août 2004 à Leipzig, la présence d'Oskar Lafontaine donne une signification politique à l'événement, parfois mal acceptée tant les « comités de citoyens » craignent la récupération. Les manifestants prennent librement la parole pour dénoncer en termes sévères l'*Agenda 2010* et plus particulièrement la loi Hartz IV accusée de généraliser la pauvreté. Partis de l'Est, ces « manifestations du lundi » s'étendent à l'Ouest avec les mêmes slogans. Ce mouvement sera un des éléments moteur de la radicalisation d'une partie de la gauche. Après les élections fédérales de 2005, Oskar Lafontaine pourra encore affirmer : « Dans cette assemblée du parlement fédéral, nous n'avons pas de majorité de gauche. En dehors de nous ne siègent que des partis qui soutiennent Hartz IV, l'*Agenda 2010* et des guerres contraires au droit international[3]. »

---

1. *Der Spiegel*, 25 juillet 2005.
2. LAFONTAINE, Oskar, *Die Wut wächst. Politik braucht Prinzipien* (La Colère monte. La politique a besoin de principes), Hamburg, Ullstein, 2003, p. 7.
3. *Der Spiegel*, 13 mars 2006.

C'est donc dans un contexte de contestation que naît l'idée de créer à l'Ouest un parti à gauche du SPD. Début mars 2004, des responsables des syndicats IG Metall et Verdi se réunissent à la Maison de la confédération des syndicats allemands pour envisager la création d'une telle organisation. Un texte intitulé *Pour une alternative électorale*, rédigé par le secrétaire auprès du comité directeur du syndicat Verdi, Ralf Krämer, précise les objectifs de cette initiative : « Pour faire reculer le néolibéralisme, nous devons l'attaquer sur son propre terrain. C'est dans ce sens qu'une alternative électorale est nécessaire afin de transformer en projet politique la pression née dans la société en dehors des sphères parlementaires. C'est le moyen de fixer une limite au glissement à droite du SPD. Dans le meilleur des cas, il serait possible de réduire le SPD au statut de troisième force du parlement[1]. » L'alternative électorale pour le travail et la justice sociale voit le jour le 4 juillet 2004 à Berlin. Les deux principaux membres fondateurs sont deux syndicalistes d'IG Metall, Klaus Ernst et Thomas Händel. Dès 2005, le processus de fusion avec le PDS est lancé et aboutit à la création officielle, le 16 juin 2007, de *Die Linke*, lors d'un congrès fondateur qui élit une double présidence exercée par Oskar Lafontaine et Lothar Bisky, ancien président du PDS. À cette occasion, 60 syndicalistes signent un appel justifiant leur adhésion au nouveau parti par leur volonté d'œuvrer en faveur d'une plus grande justice sociale. *Die Linke* est le seul des partis allemands à ne pas avoir de programme fondamental. Le seul texte s'y apparentant est un document adopté les 24 et 25 mars 2007 et intitulé *Éléments programmatiques*. Le parti y dénonce « le passage des classes dirigeantes d'une politique de capitalisme régulé par l'État providence à une politique néolibérale fondée sur une idéologie du marché radicale » et constate que « le capitalisme néolibéral engendre le recul de la

---

1. Document présenté in *Frankfurter Allgemeine Zeitung*, 11 mars 2004.

démocratie », notamment par la concentration de pouvoir qu'il implique. Il s'agit de « faire reculer l'influence néolibérale par la création d'une alliance sociale rassemblant les salariés hautement qualifiés, les travailleurs précaires, les chômeurs ainsi que les indépendants et chefs d'entreprises engagés socialement »[1]. Le parti est favorable à une politique de nationalisation de secteurs clés de l'économie et de services d'intérêt général (santé, culture, eau, électricité...). Mettant en avant la notion de « socialisme démocratique », *Die Linke* veut lutter contre la suppression des droits sociaux, en étroite coopération avec les syndicats. Le projet se veut éminemment social : suppression de Hartz IV ; généralisation d'un salaire minimum ; utilisation des gains de productivité pour l'augmentation des salaires réels et la réduction du temps de travail ; introduction d'un revenu minimum pour tous ; retour à un départ à la retraite possible à 60 ans, sans pénalités, notamment pour les métiers pénibles. Au-delà de ces propositions, on notera trois lignes de fond : la volonté de se situer en opposition aux « classes dirigeantes », terme plusieurs fois répété sans définition précise ; le souhait d'apparaître, notamment pour l'aile néo-communiste, « présentable » à l'Ouest, en voulant « engager un travail critique sur l'histoire de la pratique politique de la gauche en Allemagne de l'Est et en République fédérale » ; le désir de se démarquer de tous les autres partis représentés au parlement fédéral (« les autres forces politiques ») en privilégiant un rapport direct avec la société, principalement avec « les forces extraparlementaires de gauche », en revendiquant « une responsabilité particulière dans la défense des intérêts est-allemands au sein du système

---

1. *Programmatische Eckpunkte*. Beschluss des Parteitages von WASG und Linkspartei/PDS am 24.und 25.März in Dortmund, (Éléments programmatiques. Motion adoptée par le congrès de la WASG et du parti de gauche/PDS tenu les 24 et 25 mars 2007 à Dortmund), p. 3, 5 et 23, http://www.dielinke.de/partei / dokumente/ programmatische_eckpunkte.

des partis en Allemagne » et en se présentant comme la seule force à s'opposer à la « militarisation de la politique étrangère allemande » et à vouloir « dépasser l'OTAN ». Ces positions ont été complétées par une longue tribune d'Oskar Lafontaine[1] parue peu de temps après la tenue du congrès de Dortmund dans laquelle il précise que « le socialisme démocratique suppose un ordre économique qui permette à l'individu de participer à la vie sociale, de garantir la paix et de protéger l'environnement », tout en indiquant – davantage que ne le faisaient les Éléments programmatiques – que les « États socialistes de l'Est ont échoué parce qu'ils n'étaient ni démocratiques ni fondés sur un État de droit ». Il reproche à ses anciens amis sociaux-démocrates « la suppression de la protection contre les licenciements, le corset injuste de Hartz IV… la chute continue des salaires, la baisse des prestations sociales, la diminution du niveau des retraites », oubliant que « ceux qui ne savent pas à la fin du mois comment payer l'électricité, ceux qui craignent de ne pas avoir assez d'argent pour acheter du pain, perdent leur liberté… et (que) sans justice sociale, il n'y a pas de République ». Dans ce contexte, « *Die Linke* entend être un mouvement de renouveau démocratique » pour lequel « un État fort garantit les droits des plus faibles et l'existence d'une société libre ». En février 2008, le groupe parlementaire du parti a ajouté quelques propositions, comme la création de 500 000 emplois publics dans les secteurs de l'éducation, de la culture et de la santé, mesure chiffrée à 8,4 milliards d'euros.

En insistant sur la notion de « socialisme démocratique » que le SPD a certes remise à l'honneur lors de son congrès de Hambourg d'octobre 2007 (voir précédemment le sous-chapitre : « Une social-démocratie en crise ») après l'avoir délaissée sous l'ère Schröder – ce que ne manquent jamais de

---

1. *Frankfurter Allgemeine Zeitung*, 9 juillet 2007.

rappeler les responsables de *Die Linke* qui se présentent comme les vrais héritiers du mouvement ouvrier, Gregor Gysi, coprésident du groupe parlementaire, ayant même souhaité que « le SPD redevienne social-démocrate » – en voulant se situer dans la lignée de Willy Brandt, champion de la détente et de la paix et en se revendiquant comme l'unique parti défenseur de la justice sociale, *Die Linke* tente d'occuper un espace politique libéré par les sociaux-démocrates, allant de la gauche de l'échiquier politique aux couches moyennes fragilisées en passant par les milieux populaires. Au lendemain de l'élection fédérale du 18 septembre 2005 qui a permis à *Die Linke* de réaliser un score national de 8,7 % des voix (25,4 % à l'Est et 4,9 % à l'Ouest), Gregor Gysi s'est empressé de rappeler que « le SPD et les verts n'étaient pas ce que l'on pourrait appeler des partis de gauche »[1]. Même si le résultat de 7,5 % aux élections européennes du 7 juin 2009 marque un léger recul par rapport au score des élections fédérales de 2005, le parti reste bien un élément important du paysage politique. En tout cas, par rapport aux élections européennes de 2004, il progresse de 1,4 % et double même son résultat à l'Ouest, soit 1,6 % contre 3,9 %. Plusieurs travaux conduits par le groupe d'étude du comportement électoral de l'université de Mannheim et l'institut TNS Infratest sur la composition des électorats des partis politiques montrent que *Die Linke* parvient à capter l'électorat fragilisé qui s'étend des « salariés de la classe moyenne menacés » aux « déclassés et précarisés » qui ne se reconnaissent pas (plus) dans le SPD. Ainsi, l'électorat de *Die Linke* se compose à 23 % de « déclassés précarisés » contre 5 % au SPD, et de 23 % de salariés de la couche moyenne menacés, soit 46 % pour ces deux seules catégories particulièrement

---

1. *Der Spiegel*, cahier spécial consacré aux élections fédérales de 2005, 19 septembre 2005.

touchées par le sentiment d'insécurité sociale et économique ainsi que par la peur du déclassement social (tableau 5).

Tableau 5 : Éléments de la composition des électorats des partis politiques (part en % de l'électorat)

Salariés de la couche moyenne	CDU/CSU	SPD	verts	Linke
fragilisés/menacés	14	17	8	23
Déclassés/précarisés	4	5	4	23

Source : TNS Infratest, 2008

À la suite des élections européennes du 7 juin 2009, *Die Linke* confirme une implantation dans certains Länder de l'Ouest, telle qu'elle était déjà apparue lors des élections fédérales de 2005 : Brème (7,2 % aux élections européennes de 2009 ; 8,3 % aux élections fédérales de 2005) ; Hambourg (6,7 % ; 6,3 %), la Sarre (12,0 % ; 18,5 %) et, dans une certaine mesure, la Rhénanie-du-Nord-Westphalie (4,6 % ; 5,2 %). Lors des élections régionales de 2006, 2007 et 2008, la cartographie électorale est la même, signe d'une réelle implantation au-delà des scrutins nationaux : si *Die Linke* obtient de faibles scores en Bade-Wurtemberg et en Rhénanie-Palatinat (2,5 % dans les deux cas), elle entre au parlement régional de Brème avec 8,3 % des voix (le 13 mai 2007), de Basse-Saxe avec 7,1 % et de Hesse avec 5,1 %, puis 5,4 % (le 27 janvier 2008 et le 18 janvier 2009) et de Hambourg avec 6,4 % (le 24 février 2008). De même, lors des élections municipales du Schleswig-Holstein du 25 mai 2008, où le parti a présenté pour la première fois des candidats, il récolte 6,9 % des suffrages, avec des percées importantes dans certaines villes comme Lübeck (11,7 %) ou Kiel (11 %). Ce que les stratèges du parti avaient appelé « l'extension à l'Ouest » est engagé. Cette nouvelle donne bouleverse le paysage politique allemand en mettant fin au système quadripartite qui avait perduré malgré la présence au parlement fédéral du PDS – alors vécu et présenté comme un

« parti régional ». Elle pose aussi à l'un des grands acteurs de la vie politique allemande, le parti social-démocrate, la délicate question de son rapport à cette nouvelle force de gauche radicale, alors même qu'une partie de son identité de l'après 1945 était fondée sur un fort anticommunisme, sentiment encore présent chez une partie de ses dirigeants et de ses membres. C'est par exemple Kurt Schumacher, président du SPD jusqu'à sa mort en 1952, qui a affirmé dans un célèbre discours prononcé à Berlin le 1er juin 1951 qu'en 1945 « on n'avait pas encore compris que la structure du système communiste ressemble à celle du IIIe Reich »[1]. Le rapport à cette nouvelle force politique est un des défis majeurs que doit relever le SPD qui est divisé sur la question mais dont le « gauchissement » du discours sur des sujets comme la question sociale ou la mondialisation (voir le sous-chapitre précédent : « La crise de la social-démocratie ») n'est pas sans lien avec l'émergence de cette gauche radicale. Le tabou reste fort à l'Ouest, alors que des coalitions gouvernementales SPD/PDS-Linke ont été constituées et tolérées au niveau des Länder de l'Est, dans le Mecklembourg-Poméranie occidentale de 1998 à 2006 et, à Berlin, à la suite des élections régionales de 2001, sous la forme d'une alliance « rouge-rouge » reconduite en 2006, ou sous la forme d'un gouvernement minoritaire formé avec le soutien du PDS en Saxe-Anhalt en 1994. Le débat à l'occasion des élections régionales de Hesse en 2008 et 2009 a mis en lumière le dilemme du SPD. À la suite de l'élection du 28 janvier 2008, la tête de liste sociale-démocrate avait envisagé d'accéder à la présidence du Land en formant avec les verts un gouvernement minoritaire soutenu par *Die Linke*, après avoir rejeté l'idée d'une grande coalition avec la CDU et constaté l'impossibilité d'une alliance avec les libéraux et les

---

1. GOUGEON, Jacques-Pierre, *La Social-démocratie allemande. De la révolution au réformisme 1830-1996*, Paris, Aubier, 1996, p. 288.

verts. Une députée au parlement régional, originaire de Berlin-Ouest où elle a vécu de près la division du pays, a affirmé que sa conscience lui interdisait de soutenir toute formation d'un gouvernement avec un parti coresponsable de la construction du Mur. Elle a ainsi contraint la tête de liste sociale-démocrate à ne pas se présenter à l'élection lors de la première session de l'assemblée régionale, par peur de ne pas faire le plein des voix de son propre camp. La controverse a pris une autre dimension lorsque la presse, après une indiscrétion, a rendu compte de la teneur d'une conversation entre des journalistes et le président du SPD d'alors, Kurt Beck, le 18 février 2008. Lors de cet échange, Kurt Beck aurait laissé entendre que la tête de liste sociale-démocrate pouvait très bien se faire élire avec les voix de *Die Linke*, propos qui ont provoqué un véritablement déferlement dans les médias et le monde politique allemand… et conduit à ce que de nouvelles élections se tiennent, le 18 janvier 2009, à l'issue desquelles le SPD a perdu 13 points, la CDU pouvant à nouveau gouverner ce Land avec les libéraux. Même si à l'occasion de ces élections, la direction nationale du SPD a rejeté toute idée de coopération au niveau fédéral « du fait d'oppositions insurmontables sur de grands sujets de dimension nationale », comme la politique étrangère et de sécurité ou la politique économique, elle a indiqué qu'un vote local « relevait d'une décision prise au niveau des fédérations, comme cela est, sera et a toujours été le cas »[1]. Néanmoins, les réactions au sein du SPD ont montré que le débat n'est pas clos, le président du groupe parlementaire ayant affirmé que « les oppositions entre le SPD et *Die Linke* ne peuvent être surmontées »[2], le président du SPD, Franz Müntefering, que « le parti de Lafontaine est au niveau

---

1. Motion de la direction du SPD adoptée le 25 février 2008, p. 1, http://www.spd.de/aktuelle_news.
2. *Frankfurter Allgemeine Zeitung*, 6 mars 2008.

national ignorant en économie, romantique d'un pont de vue social, anti-européen et favorable à une politique nationale-sociale »[1]. Huit maires de grandes et moyennes villes du Bade-Wurtemberg ont également lancé un appel pour rejeter toute idée d'alliance « tant certains membres de ce parti ont conservé une attitude hostile à la démocratie »[2], tandis que le maire de Berlin, qui gouverne la capitale avec la gauche radi-cale, considère que le « SPD ne pourra pas éviter la discussion sur son rapport avec *Die Linke* », constatant qu'« à Berlin, les représentants de cette formation politique sont pragmatiques »[3]. La tentation est grande de vouloir réduire la controverse entre une « aile gauche » du SPD, autour d'Andrea Nahles, vice-présidente du parti, qui considérerait un rapprochement avec *Die Linke* comme inéluctable, voire souhaitable, et une « aile droite » autour de Frank-Walter Steinmeier, le cercle de Seeheim et les réformateurs des Netzwerker, qui y serait opposée. Le rapport à *Die Linke* dépasse même le cadre du SPD : il est d'autre culturel pour l'Allemagne. La division du pays est encore présente dans les esprits ainsi que les souffrances qu'ont dû endurer les oppo-sants dans l'ex-Allemagne de l'Est (dont les sociaux-démocrates opposés à la fusion avec les communistes en 1946), alors même qu'une partie des 72 000 membres de *Die Linke* – environ 61 000 – étaient auparavant adhérents du PDS, une grande partie de ces derniers ayant, par ailleurs, été à l'Est avant 1989 membres du parti communiste SED (parti socialiste unifié d'Allemagne), avec ce que cela suppose chez eux d'ambiguïté dans le rapport à la démocratie et chez les anciennes victimes de suspicion. La CDU a jusqu'ici été relativement épargnée par ce débat – qu'elle peut facilement instrumentaliser –, alors

---

1. *Frankfurter Allgemeine Sonntagszeitung*, 25 janvier 2009.
2. Lettre publiée in *Frankfurter Allgemeine Zeitung*, 14 mars 2008.
3. *Der Spiegel*, 2 juin 2008.

qu'en ex-RDA la « CDU de l'Est » était un « parti du bloc » (*Blockflötenpartei*), une formation prétendument indépendante mais dans les faits un appendice docile du SED. La ministre des Affaires sociales chrétienne-démocrate de Thuringe, Christine Lieberknecht, reconnaît ainsi que « des membres de la direction de la CDU ont soutenu le régime communiste de RDA par conviction, participant ainsi au fonctionnement d'un système totalitaire », ce qui fait tomber les inhibitions pour coopérer localement avec *Die Linke* « de manière pragmatique »[1]. Alors qu'il existe effectivement plusieurs « alliances municipales » entre la CDU et *Die Linke* à l'Est, comme à Schwerin, Madgeburg ou Dresde, le débat, on le voit, n'est pas clos.

L'UNION CHRÉTIENNE-DÉMOCRATE : ENTRE NOUVEL INTERVENTIONNISME ET LIBÉRALISME

Dans son ouvrage intitulé *Pouvoir et perte du pouvoir. L'histoire de la CDU*, Frank Bösch considère que l'union chrétienne-démocrate a, depuis sa fondation en 1945, fait preuve d'une grande capacité d'adaptation en fonction de ses dirigeants et des contextes, par exemple aux différentes époques de l'*Ostpolitik* qu'elle a su reprendre à son compte après l'avoir violemment combattue, mais qu'elle a jusqu'à aujourd'hui gardé un certain nombre de composantes : « la conception chrétienne de son rôle, l'économie sociale de marché, la priorité à la famille, la subsidiarité et la perspective occidentale d'une Europe commune », avec toujours en arrière-plan « la tradition du catholicisme politique » et comme réservoir électoral « les catholiques, les indépendants et la population rurale »[2].

---

1. *Der Spiegel*, 29 septembre 2008.
2. BÖSCH, Frank, *Macht und Machtverlust. Die Geschichte der CDU* (Pouvoir et perte du pouvoir. L'histoire de la CDU), Stuttgart, DVA, 2002, p. 268 et 269.

À la lecture des résultats aux élections européennes du 7 juin 2009, on pourrait ajouter aux catégories précédentes favorables à la CDU/CSU, celle des retraités. C'est au sein de ces catégories que la CDU/CSU creuse le plus grand égard avec le SPD (tableau 6). Au cours de cette élection, 48 % des personnes de plus de 60 ans ont voté en faveur de la CDU/CSU ; elles avaient même été 53 % à le faire lors des élections fédérales de 2005. Entre les élections fédérales de 2005 et les élections européennes de 2009, les plus de 60 ans constituent la catégorie la plus fidèle à la CDU/CSU, puisque le résultat dans cette catégorie augmente même de 14 %, alors que celui obtenu auprès des 18-24 ans recule de 11 % et que celui réalisé auprès des 45-59 ans diminue de 2 %. À la consultation de ces données, on comprend l'attachement de la CDU/CSU à maintenir le pouvoir d'achat des retraites jusqu'à revenir partiellement sur la réforme Schröder dans ce domaine en faisant voter au parlement fédéral une « clause de protection » empêchant une diminution du niveau des retraites. Mais les électeurs de plus de 60 ans, nés dans les années 1930-1940, socialisés au moment du miracle économique des années 1950-1960 incarné par les deux grandes figures chrétiennes-démocrates de ces années, Konrad Adenauer et Ludwig Erhard, disparaissent lentement. Or, plus de la moitié de l'électorat actuel est constituée par les classes d'âge des années 1950-1960, dans les groupes d'âges professionnellement actifs, davantage préoccupés par les conséquences de la crise et leur avenir matériel, d'où le dilemme auquel est confrontée la CDU : concilier les exigences des tenants – plus âgés – des valeurs traditionnelles, dans le domaine de la famille par exemple, et la demande de modernisation, d'émancipation mais aussi de sécurité de l'électorat salarié.

Tableau 6 : Catégories d'électeurs les plus favorables à la CDU/CSU
(en % des voix aux élections européennes de 2009)

	CDU/CSU	SPD
Indépendants	38	11
Retraités	46	22
Catholiques	51	16
Les plus de 60 ans	48	23

Source : Infratest, 2009.

Contrairement à l'autre grand parti à vocation majoritaire, le SPD, la CDU/CSU ne connaît pas dans le paysage actuel d'effondrement, même si au niveau local, par exemple dans le sud de l'Allemagne, elle subit la concurrence des verts, des libéraux et de l'association des « électeurs libres ». Ces derniers ont d'ailleurs fait une entrée remarquée au parlement régional de Bavière, lors des élections du 28 septembre 2009, recueillant 10,6 % des suffrages, contre 4,4 % en 2003, succès renforcé par les bons résultats lors des élections municipales du Bade-Wurtemberg du 7 juin 2009. Mais contrairement aux sociaux-démocrates, l'union chrétienne-démocrate n'est jamais descendue en dessous de 30 %, situation qui ne remet pas en cause son rôle de pivot de la vie politique allemande (tableau 7).

Tableau 7 : Résultats aux élections fédérales et européennes
de la CDU/CSU et du SPD 2002-2009 (en %)

	Él. féd. 2002	Él. europ.2004	Él. féd. 2005	Él. europ.2009
CDU/CSU	38,5	44,5	35,2	37,9
SPD	38,6	21,5	34,3	20,8

Source : Office fédéral de la statistique, 2009.

Cette dimension est perçue comme telle par l'opinion publique qui considère majoritairement que l'union chrétienne-démocrate et l'union chrétienne-sociale dominent le débat politique, tant au niveau des idées qu'au niveau des personnes. Ce degré d'influence des différents partis est régulièrement mesuré par l'institut Allensbach. Si l'élection de 2005 et la formation d'une grande coalition sous la direction d'Angela Merkel constituent un nouveau départ pour la CDU/CSU, il faut attendre l'année 2007 pour que l'ascendant sur le débat politique soit consacré (tableau 8). En outre, plusieurs études sur l'évolution des valeurs au sein de la société allemande traduisent un retour des valeurs dites « bourgeoises » comme la tradition, la famille, l'ordre, l'effort, la droiture, l'esprit d'économie et que 47 % des personnes interrogées associent la CDU/CSU à ses valeurs, contre 28 % le SPD, 28 % les libéraux, 9 % les verts et 5 % *Die Linke*[1]. À un moment où la crise inquiète, il est imaginable que ces valeurs traditionnelles rassurantes soient confortées. On peut d'ailleurs relever que dans son programme gouvernemental adopté en vue des élections fédérales de 2009, la CDU/CSU rend hommage à la valeur de « l'amour de la terre natale qui est une des caractéristiques de l'attitude conservatrice et bourgeoise face à la vie, comme la disposition à remplir son devoir et à assumer des responsabilités »[2].

---

1. *Das Bürgerliche-ein verwahrloster Garten* (Les Valeurs bourgeoises, un jardin en friches), étude de l'Institut Allensbach, 2008.
2. *Wir haben die Kraft. Gemeinsam für unser Land* (Nous en avons la force. Ensemble pour notre pays), Berlin, 2009, p. 40, http://www.cdu.de/doc/beschluss_regierungs programm2009.

Tableau 8 : La domination de la CDU/CSU dans la vie politique
Question posée : Quel parti exerce par ses idées la plus grande influence sur la vie politique ? (en % des personnes interrogées)

	1996	2001	2008
CDU/CSU	40	23	40
SPD	12	32	9
Verts	10	6	4
FDP	2	3	2
Linke	3	2	7

Source : Institut Allensbach, 2008.

Cette domination de l'union chrétienne-démocrate dans le paysage politique actuel ne lui épargne pas un débat sur ses orientations politiques et philosophiques, alors que l'État a, à l'occasion de la crise financière et économique de 2008-2009, effectué un retour dans la sphère économique, ce qui rend le parti libéral plus attractif pour une partie de l'électorat traditionnel de la CDU. À cela s'ajoute le fait qu'Angela Merkel, qui est devenue présidente de la CDU en 2000, après avoir pris ses distances avec son ex-mentor Helmut Kohl, attaqué sur son refus de livrer le nom des donateurs secrets de la CDU, et suite à la démission de Wolfgang Schäuble, lui aussi mêlé à cette affaire, a choisi de moderniser le corpus politique de la CDU sur des sujets sensibles comme la place de la femme et la politique familiale. Protestante, divorcée, sans enfant, femme de l'Est et du Nord, Angela Merkel ne correspondait pas aux « canons » traditionnels d'une CDU catholique et rhénane. Arrivée à la tête de la CDU avec l'étiquette de « libérale », elle a effectivement engagé sa campagne aux élections fédérales de 2005 sous cet auspice avant de ramener son parti dans une orbite plus sociale et même plus interventionniste. Dans sa volonté de moderniser et d'adapter la CDU à une nouvelle réalité sociétale et économique, Angela Merkel s'expose à la fois aux critiques des « conservateurs » et de l'aile libérale de son parti. Pour saisir l'ampleur de ces mutations, il faut avoir à l'esprit le fait que la CDU a, dès son origine, eu des accents sociaux marqués, voire anti-capitalistes, certes corrigés par la suite mais qui n'en ont pas moins marqué l'identité de l'union chrétienne-démocrate. Ainsi le programme adopté au congrès d'Ahlen en 1947 stipule : « Le système économique capitaliste n'a pas répondu aux intérêts politiques et sociaux du peuple allemand. Après le terrible effondrement politique, économique et social, seul une refondation totale est possible. Le contenu et l'objectif de cette refondation sociale et économique ne peuvent être fondés sur l'aspiration capitaliste au gain et au pouvoir mais seulement sur le bien-être de notre peuple ». Même s'il ne s'agit pas d'instaurer un « capitalisme d'État », la nouvelle structure de l'économie allemande doit s'inspirer du fait que « l'époque de la domination illimitée du capitalisme privé appartient au passé »[1]. La nationalisation de l'industrie minière et sidérurgique est envisagée. Les travailleurs chrétiens sont sensibles à une telle analyse. Même si cette option est vite corrigée avec la diffusion de l'économie sociale de marché, notamment par Ludwig Erhard qui soutient, le 28 août 1948, au congrès de la CDU qu'il s'agit d'une « économie de marché au fondement social »[2], et avec l'adoption en 1949 des *Principes de Düsseldorf* qui annoncent que « l'économie sociale de marché renonce à la planification et au dirigisme et (prévoit) que l'objectif final de l'économie

---

1. *Programmatische Erklärung des Zonenauschusses der CDU der britischen Zone* (Déclaration programmatique de la commission de zone de la CDU en zone britannique), 1-3 février 1947, Ahlen, in *Deutsche Geschichte 1945-1961. Darstellung und Dokumente* (Histoire allemande 1945-1961. Présentation et documents), tome I, Frankfurt am main, Fischer, 1983, p. 117.
2. In *Grundtexte zur sozialen Marktwirtschaft* (Textes fondamentaux sur l'économie sociale de marché), éd. par la Fondation Ludwig Erhard, Stuttgart/New York, Gustav Fischer Verlag, 1981, p. 48.

est d'assurer la prospérité et la couverture des besoins du peuple entier »[1], la CDU conservera toujours un rapport premier à la question sociale, avec des variantes selon les époques. Dans les années 1950, on parlera même d'un « socialisme chrétien », lorsque, sous Adenauer, la loi sur la cogestion appliquée aux entreprises minières et sidérurgiques est promulguée en 1951, le système des allocations familiales instauré en 1954 et la célèbre loi sur les retraites votée en 1957 qui lie le niveau des pensions aux salaires et permet ainsi la même progression que les revenus des actifs, soit pour les retraités concernés, une hausse de 60 % ! Dans la phase fondatrice de la CDU, l'influence du syndicalisme chrétien est ainsi perceptible, à travers des personnalités comme Jakob Kaiser, célèbre secrétaire général des syndicats chrétiens. C'est également en lien étroit avec le premier président de la confédération des syndicats allemands (DGB), Hans Böckler, que le chancelier Adenauer concevra la loi sur la cogestion. D'ailleurs dès les premières années de la République de Bonn, le SPD sera concurrencé par la CDU dans l'électorat ouvrier lors des élections fédérales, avec parfois une faible différence, comme en 1965 où le SPD recueille certes 54 % du vote ouvrier mais la CDU 42 %, ou plus tard en 1983, 52 % contre 43 % et en 1990 45 % contre 44 %.

C'est au nom du respect de cette tradition à la fois catholique et sociale que seront formulées les critiques visant Angela Merkel lors de sa campagne pour les élections fédérales de 2005 ; c'est aussi au nom de ces mêmes valeurs qu'Angela Merkel va, une fois élue chancelière, réaliser à la fois un recentrage de la CDU et une ouverture vers la société, notamment les milieux urbains et les femmes salariées. Le « libéralisme »

---

1. In HOFMAN Robert, *Geschichte der deutschen Parteien. Von der Kaiserzeit bis zur Gegenwart,* (Histoire des partis politiques allemands de l'empire à nos jours), München, Beck, 1993, p. 207.

qui fut reproché à Angela Merkel, perceptible dès son discours-programme du 1er octobre 2003 où elle avait exigé que « la liberté soit de nouveau en tête de nos valeurs, car sans elle rien n'est possible » et que « l'État laisse davantage la place à la liberté et à la responsabilité individuelle »[1], s'est principalement manifesté dans le programme économique de la candidate à la chancellerie de 2005. Le programme gouvernemental adopté en 2005 et intitulé *Saisir les chances de l'Allemagne* met effectivement en avant, sous le slogan « Moins de règles, plus de liberté », la « dérégulation » et la « déréglementation » dans tous les secteurs de la vie économique, notamment le marché du travail. Dans ce dernier cas, la CDU/CSU se prononce en faveur d'un assouplissement général de la législation sur la protection des salariés en cas de licenciement et va même jusqu'à remettre en cause un des piliers du modèle social allemand, les conventions collectives, en souhaitant faciliter les accords d'entreprise qui permettent une adaptation plus rapide à un changement de situation. Concernant la réforme de l'assurance-maladie, l'introduction d'un forfait unique pour les assurés est annoncée. La philosophie générale est clairement édictée : « Nous réduirons la place de l'État et renforcerons la responsabilité individuelle en lieu et place de la foi en l'État[2]. » Après avoir pris ses distances avec la proposition d'un universitaire juriste, Paul Kirchhof, qui avait intégré l'équipe de campagne de la candidate et avait proposé un taux d'imposition unique de l'impôt sur le revenu de 25 %, applicable à partir de 20 000 euros – proposition qui a concentré les critiques de la gauche mais aussi d'une partie de la CDU et de la CSU, car jugée injuste et pénalisante pour les couches

---

1. Discours de la présidente de la CDU, Angela Merkel, au musée de l'Histoire allemande de Berlin, le 1er octobre 2003, p. 4, http://www.cdu.de/reden2003.
2. *Deutschlands Chancen nutzen. Wachstum, Arbeit, Sicherheit* (Saisir les chances de l'Allemagne. Croissance, travail, sécurité), Berlin, 2005, p. 10, 12, 11, http://www.cdu.de/doc/regierungsprogramm2005-2009.

moyennes –, la candidate Merkel a opté pour une simplification du système avec une baisse de la plus haute tranche
d'imposition de 42 % à 39 % et de la plus basse de 15 à 12 %. Il
restera de cette campagne l'image d'une CDU et d'une Angela
Merkel « libérales », exposées aux critiques de leur propre
camp, notamment de la part de la CSU. Ainsi, Alois Glück, à
l'époque président du parlement de Bavière, rappelle que
« l'État providence est une condition importante et une caractéristique essentielle d'une société humaine », l'objectif étant
de trouver « un équilibre entre la compétence économique et
la responsabilité sociale », tandis que l'actuel ministre-président de Bavière, alors vice-président de son parti, Horst
Seehofer, exige que les projets de réforme prennent en compte
« les intérêts des salariés modestes »[1]. Au cours des négociations en vue de la constitution de la grande coalition avec les
sociaux-démocrates et une fois élue chancelière, Angela
Merkel va devoir « composer » sur des sujets essentiels comme
la fiscalité, la réforme du marché du travail ou la politique
familiale. C'est dans ce contexte que s'opère le « recentrage »
de la CDU étalé dans le temps, à travers plusieurs étapes qui
vont à chaque fois exiger des révisions : la préparation d'un
nouveau programme fondamental en 2006-2007 ; la crise de
2008-2009 ; la préparation de l'élection fédérale de 2009. À
l'occasion de la préparation du nouveau programme fondamental de la CDU, Angela Merkel doit composer avec l'aile
« droite » de la CDU rassemblée autour des ministres-présidents de Bade-Wurtemberg et de Hesse, Günther Öettinger et
Roland Koch, l'aile « gauche » représentée par le ministre-
président de Rhénanie-du-Nord-Westphalie, Jürgen Rüttgers,
pour qui « la CDU, autant attachée à la protection sociale qu'à
la raison économique, n'est pas un parti néo-libéral »[2], et les

---

1. *Die Welt*, 11 juin 2005.
2. *Der Spiegel*, 6 août 2007.

« conservateurs » qui se prétendent sociaux et attachés aux valeurs traditionnelles comme la religion et le patriotisme. Dans le cadre des discussions sur le projet de ce texte, ces conservateurs sociaux ont rédigé un document intitulé *Le Conservatisme moderne. Retour aux racines de l'union chrétienne-démocrate*, dans lequel ils souhaitent une meilleure prise en compte des électeurs traditionnels, « les patriotes, les chrétiens convaincus et les conservateurs attachés à leurs valeurs »[1] et guidés par la défense de la culture occidentale et chrétienne. Le secrétaire général de la CSU d'alors, Markus Söder, estime que « les partis de l'union ne doivent pas seulement mettre en avant le succès économique et l'aspiration à plus de croissance mais aussi assumer une responsabilité sociale qui fait d'eux les partis des petites gens »[2]. L'adoption en 2007 du nouveau programme fondamental marque la fin du tournant libéral et une tentative de trouver un équilibre entre aspirations libérales et sociales avec, par rapport à 2005, un recentrage sur la solidarité, sachant que « la réalisation de la liberté nécessite l'existence de la justice sociale » et que lorsque « les forces individuelles ne suffisent pas à faire face à la vie, la communauté et l'État doivent apporter leur aide ». L'économie sociale de marché, qui « suppose l'existence d'un État efficace garantissant le respect des conditions nécessaires à la concurrence », doit évoluer pour prendre en compte la mondialisation, « vécue par beaucoup en Allemagne comme une menace de leur emploi » : « La mondialisation exige une nouvelle dimension de l'économie sociale de marché et offre une chance de fixer au niveau mondial des normes sociales et écologiques », ce qui doit « déboucher sur l'instauration d'un ordre juste et humain. » Revendiquant l'héritage de l'économie sociale de marché, la CDU/CSU « rejette toute forme de collectivisme,

---

1. *Frankfurter Allgemeine Zeitung*, 6 septembre 2007.
2. *Frankfurter Allgemeine Zeitung*, 5 juillet 2007.

socialiste ou autre, ainsi que le capitalisme débridé ne misant que sur le marché ». Sur les sujets sociétaux, comme la famille ou l'immigration, la CDU s'engage sur la voie de la modernisation sans rejeter ses idéaux traditionnels, toujours inspirés par « la conception chrétienne de l'homme ». Si le mariage est présenté comme « le meilleur fondement pour la réussite familiale », cette institution ne définit plus à elle seule l'espace familial : « La famille est partout là où les parents sont responsables à long terme de leurs enfants et les enfants de leurs parents. » Concrètement, la CDU souhaite améliorer l'imposition fiscale des couples non mariés avec enfants sans remettre en cause les avantages fiscaux dont bénéficient les unions légitimes. De même, sans rejeter l'image traditionnelle de la famille, où la femme reste à la maison pour élever ses enfants, le texte souligne la nécessité d'un égal partage des tâches et « la responsabilité commune dans l'éducation des enfants ». Autre avancée, la reconnaissance des couples homosexuels : « Nous respectons la décision de personnes qui réalisent leur projet de vie sous d'autres formes de couples[1]. » Toutefois, la CDU récuse le droit à l'adoption pour les couples homosexuels. C'est à partir de ces avancées que sera conçu ultérieurement le programme gouvernemental en vue des élections fédérales de 2009 intitulé *Nous avons la force. Ensemble pour notre pays*, qui marque la réussite de cette stratégie d'équilibre mise en œuvre par Angela Merkel. Le programme reprend les avancées réalisées dans le domaine des thèmes sociétaux, en premier lieu la famille, en mettant l'accent cette fois-ci sur un autre sujet délicat, la petite enfance où la méthode du compromis avec l'aile conservatrice a permis de progresser, avec l'annonce d'une mise en place, d'ici à 2013, d'un accueil éducatif pour les enfants de moins de trois ans et, à partir de 2013, de l'introduction d'une allocation pour les familles ne faisant pas usage de

---

1. *Freiheit und Sicherheit…, op. cit.*, p. 7, 8, 49, 16, 3, 46, 5, 25 et 27.

ce droit. Il en va de même de la reconnaissance « des familles mono-parentales qui ont choisi un autre mode de vie ». La préoccupation sociale est présente avec la volonté d'empêcher le « *dumping* salarial » et « l'interdiction par la loi des salaires immoraux » et la mise en place d'« un revenu minimum pour tous », par l'apport complémentaire de prestations. En matière économique, les paramètres ne changent pas : retour à la diminution de l'endettement, soutien aux secteurs porteurs de croissance et d'emplois (notamment ceux de « l'économie verte »), poursuite de l'effort en faveur de la recherche et de l'innovation, avec une mention particulière pour « les professions performantes et dynamiques » qui doivent voir leur imposition s'alléger si bien qu'une réforme de l'impôt sur le revenu sera engagée avec l'abaissement du taux inférieur d'imposition de 14 à 13 % puis de 13 à 12 %, et le relèvement du seuil d'imposition maximale à 55 000 puis 60 000 euros. Cette réforme fiscale dont le coût est estimé à 13 milliards d'euros doit encourager « la performance et l'engagement ». Ce qui distingue ce texte des précédents, c'est ce que l'on pourrait appeler « le retour de l'État et de la régulation », même tempéré, à la lumière de la crise financière et économique : « En cas de détresse, l'État, garant de l'ordre, doit intervenir – mais seulement dans ce cas. En effet, ce serait une grave erreur de vouloir toujours confier à l'État de nouvelles tâches... Dans l'économie sociale de marché, l'État garantit le cadre de l'activité libre des citoyens. Il veille à ce qu'une concurrence non faussée crée de l'emploi, récompense la performance et soutient les faibles. » Face à la crise imputable « à l'inexistence de règles et à un sens de la responsabilité défaillant », la CDU/CSU réclame des « règles justes applicables aux marchés financiers internationaux et à l'économie mondiale » dont une « régulation efficace du système bancaire », « une surveillance européenne et internationale des agences de notation » et

« un cadre contraignant pour les fonds spéculatifs »[1]. Si État et régulation sont bien à l'ordre du jour, on sent bien que le rappel des mérites des catégories dynamiques et du peu de compétence de l'État pour exercer le métier d'entrepreneur vise à éviter d'effrayer la partie de l'électorat attachée à la libre entreprise et aux principes de l'économie de marché.

Ce sont ces partisans de la « liberté » au sens large qui trouvent refuge au parti libéral. Lors des élections européennes du 7 juin 2009, le parti libre et démocratique (FDP), parti libéral, a obtenu 11 % des suffrages, le meilleur score réalisé par ce parti dans ce type de scrutin et le meilleur résultat aux dernières élections nationales : 7,4 % aux élections fédérales de 2002, 6,1 % aux élections européennes de 2004 et 9,8 % aux élections fédérales de 2005. Le résultat aux élections européennes de 2009 est essentiellement imputable au transfert de voix – par rapport aux élections fédérales de 2005 – en provenance du SPD, avec un solde positif de 330 000 voix, et de la CDU, avec un solde positif net de 160 000 voix. C'est dans la catégorie des employés et des indépendants que le FDP réalise une percée, se trouvant là sur le même terrain que la CDU. C'est dans cette catégorie que le recul de celle-ci est le plus important et c'est là que le FDP effectue son gain le plus élevé (tableau 9). Cette catégorie particulièrement sensible aux thèmes du retrait de l'État de la vie économique et de la réforme de l'État providence avait pu s'identifier à « la CDU de 2005 », lorsque les chrétiens-démocrates se faisaient les avocats de réformes libérales dans les domaines du marché du travail, de la santé et de la fiscalité. Cette partie de l'électorat de la CDU migre vers le parti libéral.

---

1. *Wir haben die Kraft. Gemeinsam für unser Land…*, *op. cit.*, p. 30, 20, 32, 10, 4 et 19.

Tableau 9 : Vote des employés et indépendants aux élections européennes de 2009 et variation par rapport aux élections européennes de 2004 (en %)

	CDU/CSU	SPD	verts	Linke	FDP
Employés	34 (- 6)	21 (-1)	17 (-1)	6 (+1)	13 (+ 6)
Indépendants	38 (-8)	11 (+ 1)	17 (-4)	4 (+1)	21 (+ 7)

Source : Infratest, 2009

Dans une étude conduite par l'institut Allensbach en mars 2009[1], 23 % des personnes interrogées considèrent que le FDP est le parti qui défend le mieux l'économie de marché, contre 19 % pour la CDU ; tout comme 28 % des personnes interrogées pensent que le FDP est le parti qui agit le plus pour que les impôts et les charges baissent, contre 11 % pour la CDU. Concernant la défense de la liberté des citoyens, 23 % font confiance au FDP, 13 % à la CDU/CSU. Si l'évolution de la confiance accordée aux libéraux est en partie liée à l'évolution de la CDU, elle est aussi le fait d'une mutation des valeurs qui, même en période de crise, valorisent la performance et l'individualisation. Ainsi, 51 % des Allemands estiment qu'il est important d'« être performant », contre 38 % en 1990, tandis que 47 % considèrent que « chacun forge son destin » contre 30 % en 1990. Ces catégories ne peuvent que se reconnaître dans le programme des libéraux adopté en vue des élections fédérales de 2009 intitulé *Renforcer le centre*. Ce texte indique que les libéraux « misent sur la performance des individus et sur un État qui tire sa force de la capacité à limiter son action aux tâches régaliennes », sachant que « la mesure de toute chose est la liberté ». Le parti libéral se présente comme « l'avocat des classes moyennes, ce centre de la société mis sous tutelle » par l'impôt et le contrôle tatillon de l'État. Face à la crise due « à l'échec de la régulation, c'est-à-dire l'échec de

---

1. *Nicht nur Krisengewinnler* (Ce ne sont pas que des profiteurs de la crise), *Frankfurter Allgemeine Zeitung*, 25 mars 2009.

l'État, plus que l'échec du marché », les libéraux se présentent comme « le seul parti qui veut sérieusement abandonner l'économie étatisée » et engager très vite une « reprivatisation »[1]. Ce débat autour de la notion de liberté semble également marquer les esprits dans la partie orientale de l'Allemagne.

LE CLIVAGE EST/OUEST

Dans son ouvrage de souvenirs et d'analyses *L'Avenir a besoin de l'origine*, Matthias Platzeck, ministre-président du Brande-bourg, figure de la social-démocratie à l'Est, après avoir été un représentant des mouvements citoyens en 1990 et ensuite fréquenté les verts, – parcours-type d'une partie des élites poli-tiques des nouveaux Länder – observe que si « les Allemands de l'Est entretiennent une distance marquée avec les grands partis », notamment du fait que sous le régime de l'ancienne RDA « le parti, noyau du pouvoir d'État, ne représentait pas la grande masse mais constituait plutôt une menace », ils n'en inventent pas moins un nouveau rapport aux partis politi-ques, privés d'adhérents et victimes d'électeurs infidèles, davantage fondé sur la création de réseaux sociaux et l'ouver-ture à des personnalités non encartées, « représentants de groupes importants de la société »[2]. Il est malaisé pour les partis politiques traditionnels issus de l'Ouest de saisir et d'intégrer les spécificités des citoyens des nouveaux Länder qui sont à la fois marqués par ce que Platzeck appelle une « conscience régionale »[3] et qui en même temps, comme le

---

1. *Die Mitte stärken. Deutschlandprogramm der Freien Demokratischen Partei* (Renforcer le centre. Programme pour l'Allemagne du parti libre et démocra-tique), adopté au congrès de Hanovre tenu du 15 au 17 mai 2009, p. 2, 3, 9, http://www.liberale.de/bundestagswahlprogramm2009.

2. PLATZECK, Matthias, *Zukunft braucht Herkunft. Deutsche Fragen. Ostdeutsche Antworten* (L'Avenir a besoins de l'origine. Questions allemandes. Réponses est-allemandes), Hamburg, Hoffmann und Campe, 2009, p. 124 et 125.

3. *Ibidem*, p. 12.

révèle l'étude conduite par la fondation Identity en avril 2009, ont un sentiment d'appartenance nationale aussi développé que les Allemands du Nord mais plus marqué que les Allemands du Sud. Ils sont aussi plus nombreux – 83 % – à réclamer davantage de solidarité entre Allemands que les Allemands de l'Ouest – 65 %[1]. À cela s'ajoute que, pendant très longtemps, le personnel politique de premier plan – au niveau des ministres-présidents par exemple – était majoritairement issu de l'Ouest. Il a fallu attendre mai 2008 et l'élection de Stanislaw Tillich, issu de l'Est, au poste de ministre-président de Saxe pour que l'ensemble des ministres-présidents d'Allemagne orientale soit issu de cette même région, portant avec eux leur biographie parfois dérangeante. Ainsi Tillich a-t-il été à l'époque de la RDA un représentant de la CDU de l'Est (« parti du bloc » soumis au régime) au niveau d'un district et exercé un mandat dans ce cadre. Il existe une identité est-allemande liée à l'histoire récente qui ne se fonde pas sur l'idée de rupture avec l'Ouest mais sur la volonté de reconnaissance d'une spécificité culturelle et sociale qui, dans certains cas, suppose une opposition avec les valeurs et le modèle ouest-allemands. Il en résulte un clivage persistant sur certains sujets entre l'Est et l'Ouest dont l'influence sur la culture politique est importante. Par exemple, lorsque les Allemands de l'Est et les Allemands de l'Ouest sont interrogés sur l'opportunité de davantage tenir compte des idées socialistes de l'ex-RDA dans l'Allemagne unifiée d'aujourd'hui, les premiers répondent positivement à 58 %, les seconds avec seulement 12 %. La notion de solidarité est également plus présente dans l'esprit des premiers que chez les seconds : 76 % des Allemands de l'Est jugent qu'en Allemagne « chacun défend ses intérêts en oubliant qu'il fait partie d'une communauté » contre seulement 59 % des Allemands de l'Ouest qui partagent cette

---

1. *Deutsch–Sein. Ein neuer Stolz auf die Nation…*, *op. cit.*, p. 36.

opinion[1]. À partir de ces différentes approches, la conception de la société d'aujourd'hui et de demain peut varier tout comme l'attente à l'égard des forces politiques. Si une partie de la jeunesse de l'Est actuelle n'a connu que l'Allemagne unie comme cadre et horizon, la majorité de la population d'Allemagne orientale a été socialisée à l'époque de la RDA et a toujours du mal à assumer le choc des deux « cultures » de l'Est et de l'Ouest. Dans plusieurs travaux dont un ouvrage au titre évocateur *Étranger dans son propre pays*, la psychothérapeute Annette Simon observe que l'unification a représenté pour les Allemands de l'Est un tel choc culturel que les traces en sont durables, confrontés à une situation qui exigeait de savoir « se vendre », « se battre », alors qu'ils avaient, d'une part, été habitués à ce que « le collectif du travail socialiste » prenne en charge une large partie de leur vie sociale, notamment les vacances et, d'autre part, appris que pour éviter la répression, « il fallait ne pas chercher le conflit ouvert » et se noyer « dans le système de déresponsabilisation organisée » avec pour conséquence que « l'impression d'être étranger à cette nouvelle culture occidentale et de ne pas être à la hauteur a créé un sentiment d'infériorité »[2]. Ce malaise identitaire qui perdure aujourd'hui, tout en s'atténuant avec la venue des nouvelles générations, a des incidences sur le comportement électoral des Allemands de l'Est. L'affirmation et la défense d'une spécificité est-allemande sont, par exemple, deux des raisons du succès de *Die Linke* en Allemagne orientale.

Le haut niveau électoral de la gauche radicale n'est qu'un des aspects du paysage politique propre à l'Allemagne orientale. Il faut y ajouter l'érosion du « centre » avec la faiblesse

---

1. *Ibidem.*
2. SIMON, Anette/FAKTOR, Jan, *Fremd im eigenen Land* (Étranger dans son propre pays), Giessen, Psychosozial Verlag, 2000 et in *Berliner Zeitung*, 15 août 2000.

des deux grands partis SPD et CDU et la persistance d'une extrême droite. Ces trois données sont liées, le manque d'adhésion aux grands partis « importés de l'Ouest » provoquant un vote sur les deux extrêmes de l'échiquier. Les grands partis souffrent d'un manque de crédibilité et sont parfois réduits au statut de forces marginales lors de certains scrutins régionaux. Alors que lors des élections à dimension nationale (élections fédérales et élections européennes) tenues depuis 1990, les deux grands partis recueillent à l'Ouest entre 62 et 83 %, ils ne rassemblent que de 46 % à 70 % à l'Est. Lors des élections européennes du 7 juin 2009, un nouveau « creux » a été atteint puisque la CDU/CSU et le SPD ont recueilli ensemble 61,8 % des suffrages à l'Ouest et seulement 46,4 % à l'Est (tableau 10). Contrairement à l'Ouest – où le phénomène commence aussi être sensible – les attaches partisanes liées à la sociologie ou au fait religieux, le « milieu », sont peu marquées à l'Est où les personnes sans confession représentent 66 % de la population contre seulement 15 % à l'Ouest, les protestants 27 % contre 41 %, et les catholiques 5 % contre 40,5 %. La mobilité des électeurs sans attache est plus grande. Le comportement électoral des nouveaux Länder accentue et accélère la crise des grands partis à vocation majoritaire, tendance également perceptible à l'Ouest (voir précédemment le sous-chapitre « Une social-démocratie en crise »), et ouvre le spectre politique avec la confirmation du poids de *Die Linke* et la multiplication des initiatives locales d'électeurs protestant contre la politique de l'eau, les restructurations immobilières ou le recul de la politique culturelle avec la fermeture d'institutions. À cela s'ajoute le fait que le taux de participation aux différentes élections est inférieur à l'Est. Lors des scrutins régionaux de 2005 à 2009, le taux de participation a été en moyenne de 53 % à l'Est et de 61 % à l'Ouest.

Tableau 10 : Le poids des deux grands partis aux élections fédérales et européennes (en % des voix)

	1990 (féd.)		1998 (féd.)		2002 (féd.)		2004 (eur.)		2005 (féd.)		2009 (eur.)	
	Ouest	Est	Ouest	Est	Ouest	Est	Ouest	Est	Ouest	Est	Ouest	Est
CDU/CSU	44,3	41,8	37	27,3	40,8	28,3	47,3	34,1	37,5	25,3	39,9	30,1
SPD	35,7	24,3	42,3	31,5	38,3	39,7	23	16,1	35,1	30,5	21,9	16,3
Total	80	66,1	79,3	62,4	79,1	68	70,3	50,2	72,6	55,8	61,8	46,4

Source : Office fédéral de la statistique, 2000 et 2009.

Le phénomène d'effritement des grands partis est particulièrement visible lors de certaines élections régionales. Il touche dans ce cas principalement le parti social-démocrate qui lors des élections régionales de Saxe du 21 septembre 2004 n'a recueilli que 9,8 % des voix, après n'avoir obtenu que 14,5 % des suffrages aux élections régionales de Thuringe du 13 juin 2004 et s'être effondré aux élections européennes de la même année, à chaque fois au profit de la gauche radicale. Lors de ces deux élections régionales, cette dernière a respectivement obtenu 23,6 et 26,1 % des voix. Seule consolation pour le SPD : à la suite des élections régionales du 17 septembre 2006 dans le Mecklembourg, il a recueilli 30,8 % des suffrages, ce qui lui a permis de conserver la présidence du Land. Les élections du 7 juin 2009 ont confirmé le risque d'effacement des sociaux-démocrates à l'Est puisqu'ils n'atteignent dans l'ensemble des nouveaux Länder que 16,3 % des voix (avec Berlin) ne dépassant les 20 % que dans le Brandebourg. À l'Est, le SPD n'est plus que la troisième force, derrière *Die Linke*, tandis que la CDU parvient à dépasser les 30 % dans plusieurs régions (tableau 11).

**Tableau 11 : Résultat aux élections européennes du 7 juin 2009
en Allemagne orientale (en % des voix)**

	CDU/CSU	SPD	Verts	Linke	FDP
Allemagne orientale	30,1	16,3	9,1	21,4	8,6
Berlin	24,3	18,8	23,6	14,6	8,7
Brandebourg	22,5	22,6	8,4	26,0	7,4
Mecklembourg/Poméranie	32,3	16,7	5,5	23,5	7,6
Saxe	35,3	11,7	6,7	20,1	9,8
Saxe-Anhalt	29,1	18,1	5,4	23,6	8,6
Thuringe	31,1	15,7	5,8	23,8	8,2

Source : Office fédéral de la statistique, 2009.

Cette crise de la social-démocratie dans les nouveaux Länder où elle n'est pas vécue comme représentant une force de gauche et où elle est directement concurrencée par *Die Linke* est d'autant plus durement ressentie qu'elle se manifeste le plus visiblement dans des régions qui historiquement ont constitué, comme dans le cas de la Saxe et de la Thuringe, des bastions sociaux-démocrates. Ils ont fait sa force sous l'empire allemand et sous la République de Weimar. Au-delà de la faiblesse électorale, c'est donc une perte de références historiques. L'effondrement est saisissant si l'on suit la courbe des résultats électoraux des années 1929-1930 à aujourd'hui, puisque dans ces années le parti social-démocrate recueillait en Saxe 33 % des suffrages et en Thuringe 32 %.

À l'Est, la concurrence de *Die Linke* est d'autant plus forte qu'à la défense des « petites gens » et des « victimes de la politique néo-libérale » (voir précédemment le sous-chapitre « Une nouvelle gauche radicale ») s'ajoute la représentation de l'identité régionale. Dès le début, le parti du socialisme démocratique (PDS) s'est appuyé sur le sentiment de non prise en compte par l'Ouest et ses représentants de l'identité est-allemande. C'est ce que dépeint l'ancien président du PDS et actuel coprésident du groupe parlementaire de *Die Linke* au parlement fédéral, Gregor Gysi lorsqu'il écrit dans un livre de souvenirs *Un Regard en arrière, un pas en avant* : « Les habitants des nouveaux Länder ont eu, après le 3 octobre 1990, de plus en plus l'impression qu'ils étaient davantage tolérés que désirés[1]. » L'autre facteur est le sentiment de déclassement social éprouvé par de nombreux Allemands de l'Est à la suite de la politique économique menée dans les années 1990, notamment la politique de privatisation des entreprises d'État et à sa suite l'effondrement de l'emploi dans l'industrie. Même si l'on admet que ce sont principalement les conditions de départ de l'unification et de l'économie est-allemande qui ont provoqué l'effondrement industriel de l'Allemagne orientale, il n'en reste pas moins que la désindustrialisation et la perte massive d'emplois ont été vécues par les populations concernées comme un vrai traumatisme, une injustice, et comme les conséquences d'une politique libérale que justement le PDS et maintenant *Die Linke* pourfendent. Aujourd'hui encore, le taux de chômage est beaucoup plus élevé à l'Est qu'à l'Ouest (voir chapitre III). Il n'est donc pas étonnant que, la première année de sa création, le PDS ait comporté parmi ses adhérents 31 % de chômeurs et 14 % de préretraités. Lors de son congrès des 24 et 25 février 1990, il s'est défini comme « parti socialiste » qui plonge ses racines « dans les courants du mouvement ouvrier allemand et international, les traditions révolutionnaires et démocratiques du peuple allemand et l'antifascisme » et défend « la justice sociale, la solidarité, la liberté des opprimés et l'aide aux faibles »[2]. La double dimension identitaire et protestataire, reprise ultérieurement par *Die*

---

1. GYSI, Gregor, *Ein Blick zurück, ein Schritt nach vorne* (Un Regard en arrière, un pas en avant), Hamburg, Hoffmann und Campe, 2001, p. 17.
2. Compte rendu du congrès du SED-PDS tenu à Berlin les 24 et 25 février 1990, direction du SED-PDS, p. 90.

Linke, explique la pérennité de cette force politique. Dans une série d'enquêtes sur l'état d'esprit des Allemands de l'Est publiées sous le titre *La Vengeance des Allemands de l'Est*, l'universitaire et journaliste Rita Kuczynski s'est particulièrement penchée sur les électeurs de la gauche radicale. Elle constate que ses interlocuteurs développent « une identité qui ne repose pas sur les données historiques de la RDA mais une identité fictive et virtuelle ». En effet, parmi les personnes interrogées, nombreuses sont celles qui comme l'étudiante Anna ou la couturière Helga affirment : « Je ne veux pas revenir à la RDA. » Mais cette dernière, comme la chansonnière Marion, pense qu'une « RDA sous une autre forme, ce serait bien », considérant qu'« avec plus de démocratie, plus de responsabilité individuelle et plus de confiance la RDA existerait encore ». Tous déplorent le manque de justice sociale et observent, comme le médecin Marianne, que « la société actuelle est exclusivement tournée vers l'argent », Marion relevant qu'« en RDA il n'existait pas de mendiants ou de sans-abris qui crevaient dans la rue ni de gens qui se suicidaient pour ne pas avoir trouvé d'emploi ». Ils sont également unanimes pour déplorer que « lors de l'unification, les aspects positifs de notre société n'aient pas été repris », l'impression dominante, notamment dans les médias, étant que « la vie que nous avons vécue avant la chute du Mur n'a aucune valeur »[1]. Plus de vingt ans après l'unification, la gauche radicale s'appuie à l'Est sur le sentiment persistant d'assimilation par l'Ouest et l'impression de dépossession, qui amènent même certains électeurs de la CDU à passer directement au vote en faveur de *Die Linke*. À l'Est, la gauche radicale est d'autant plus redoutable qu'elle dispose d'un maillage efficace et d'une réelle implantation au sein de la population. C'est particulièrement visible au niveau municipal puisque *Die Linke* détient à

---

1. KUCZYNSKI, Rita, *Die Rache der Ostdeutschen* (La Vengeance des Allemands de l'Est), Berlin, Parthas Verlag, 2002, p. 1, 105, 63, 140 et 56.

l'Est 6 380 mandats, du maire au simple conseiller municipal, ce qui permet d'être très réactif et de mener des campagnes de proximité particulièrement appréciées. L'analyse du scrutin des élections régionales de Saxe-Anhalt du 26 mars 2006 fait ainsi apparaître que dans plusieurs circonscriptions, la gauche radicale avoisine ou dépasse les 30 %, comme dans les grandes villes à Madgeburg et à Halle. Cette présence locale contribue à légitimer le vote en faveur de *Die Linke* qui s'installe durablement dans le paysage politique, comme l'ont encore montré les élections européennes du 7 juin 2009. Aux élections de dimension nationale, la coupure est frappante entre l'Ouest, où le score de la gauche radicale demeure faible, même après le processus de fusion, et l'Est où les résultats oscillent entre 16,9 % et 25,4 % (tableau 12).

Tableau 12 : Vote en faveur de la gauche radicale aux élections fédérales et européennes à l'Ouest et à l'Est (en % des voix)

	1990	1994	1998	2002	2004 (europ.)	2005	2009 (europ.)
Ouest	0,3	1,0	1,2	1,1	1,6	4,9	3,9
Est	11,1	19,8	21,6	16,9	22,9	25,4	21,4
Total Allemagne	2,4	4,4	5,1	4,0	6,1	8,7	7,5

Source : Office fédéral de la statistique, 2002, 2005 et 2009

À l'Est, voter pour la gauche radicale n'est pas vécu comme un acte anachronique, voire réactionnaire. Ce n'est pas seulement exprimer un refus mais affirmer une appartenance et une culture censées déboucher sur une alternative face au « système » défendu par les autres partis. Avec toutes les nuances de rigueur, on peut constater que c'est un langage que l'on retrouve également à l'extrême droite qui insiste elle aussi sur la culture politique proprement est-allemande.

Le *Rapport du gouvernement fédéral sur l'unité allemande* de 2008 note la persistance et la « diversité » de l'extrême droite contre laquelle il convient de lutter « avec des moyens relevant à la fois de la prévention et de la répression[1] ». En dépit de mauvais résultats aux élections européennes du 7 juin 2009 où elle était représentée par l'union populaire allemande (DVU) (0,4 %) et les républicains (1,3 %), après 1,6 % aux élections fédérales de 2005, l'extrême droite semble s'implanter localement en Allemagne orientale. Certes, elle se manifeste aussi à l'Ouest, comme le 1er mai 2008 lors de manifestations violentes à Hambourg menées par le groupe des « nationalistes autonomes ». Elle a aussi été présente à l'Ouest avant la chute du Mur – les républicains ayant même obtenu 7,1 % des voix aux élections européennes de 1989, après avoir recueilli 7,5 % aux élections régionales de Berlin du 29 janvier de la même année – et, ensuite, en 1991-1992, avec les succès de l'union populaire allemande aux élections régionales de Brème (6,1 %) et du Schleswig-Holstein (6,2 %), puis en 1992, avec l'entrée fracassante des républicains au parlement régional du Bade-Wurtemberg (10,2 %) et avec l'entrée au conseil municipal de Bremerhaven avec 8,1 % des suffrages aux élections municipales du 28 septembre 2003. Il n'en reste pas moins que c'est en Allemagne orientale, en Saxe, que pour la première fois depuis 1968, la formation la plus extrémiste, le parti national-démocrate allemand (NPD), fondé en 1964, a fait son entrée dans un parlement régional, en 2004, ayant recueilli 9,2 % des voix aux élections du 19 septembre de cette même année. Un rapport de l'Office de protection de la constitution indique que ce parti « représente un sérieux danger pour notre État de droit et notre ordre constitutionnel » en créant notamment « un terreau favorable aux agressions violentes sur des étrangers ou sur d'autres minorités »[2]. À la

---

1. *Jahresbericht der Bundesregierung zum Stand der deutschen Einheit.* (Rapport annuel du gouvernement fédéral sur l'unité allemande), édité par le ministère fédéral des Transports et de la Construction, 2008, Berlin, p.121.

2. *Rechtsextremius in Deutschland. Ein Lagebild* (L'Extrémisme de droite en Allemagne. Vue de la situation), Office fédéral de la constitution, Stuttgart, 2003, p. 112.

même date, l'union pour le peuple allemand a obtenu dans le Brandebourg 6,1 % des suffrages, après 5,9 % en 1999. C'est aussi à l'Est, en Saxe-Anhalt, que le meilleur résultat d'un parti d'extrême droite a été réalisé, avec 12,9 % des suffrages aux élections régionales du 28 avril 1998. Les analyses post-électorales montrent que l'extrême droite doit une large partie de ses voix au vote des hommes de moins de 30 ans, aux ouvriers et aux chômeurs, paramètres qui expliquent sa forte implantation dans les zones d'Allemagne orientale les plus touchées par les restructurations et la désindustrialisation. Lors des élections de Saxe de 2004, 18 % des jeunes en dessous de 30 ans, 17 % des ouvriers et 16 % des chômeurs ont voté en faveur de l'extrême droite contre seulement 3 % des plus de 60 ans et 4 % des fonctionnaires. Le chômage, la peur de perdre son statut et de devoir vivre une déchéance économique et sociale, situation quasi inconnue pour la grande majorité avant la chute du Mur, renforcent la disposition à voter en faveur de l'extrême droite. La demande d'une plus grande autorité ainsi que l'existence d'une « xénophobie socio-économique » renforcent le potentiel d'extrême droite en Allemagne orientale, plus fort qu'à l'Ouest (tableau 13).

Tableau 13 : Potentiel d'adhésion à l'idéologie d'extrême droite en Allemagne de l'Est et de l'Ouest (en %)

	Ensemble de l'Allemagne	Ouest	Est
Autoritarisme	11	10	16
Nationalisme	13	13	13
Xénophobie ethnique	15	14	20
Xénophobie socio-économique	26	23	39
Convictions pro-nazies	6	6	5
Antisémitisme	6	6	5
Potentiel d'extrême droite	13	12	17

Source : Johanna Edelbloude, « Usages et visages de l'antifascisme en RDA », Allemagne d'aujourd'hui, n° 181, 2007.

La multiplication des actes de violence d'extrême droite marque une radicalisation. Entre 1990 et 2008, les délits attribués à l'extrême droite ont été multipliés par six, les crimes avec violence par trois. 85 % des victimes de nationalité allemande ayant succombé à une agression d'extrême droite se trouvaient en Allemagne orientale. On dénombre trois fois plus d'actes de violence de ce type par million d'habitants en Allemagne orientale qu'en Allemagne occidentale, avec deux points noirs : la Saxe-Anhalt et la Saxe. *Der Spiegel*, par exemple dans son édition du 30 mai 2009, consacre régulièrement des reportages sur le Brandebourg, la Saxe ou la Saxe-Anhalt où certains territoires sont quasiment mis en coupe réglée par l'extrême droite qui se présente comme la représentante des petites gens, utilisant le slogan « social et national », et mettant en avant l'idée de « sang nouveau » que la jeunesse de ses membres incarnerait. Dans son ouvrage intitulé *Les Héritiers du IIIe Reich. L'extrême droite allemande de 1945 à nos jours*, Patrick Moreau élargit le champ d'explication du phénomène d'adhésion à des partis et/ou organisations d'extrême droite chez les jeunes de l'Est : « Dans les nouveaux Länder, la jeunesse connaît un processus de radicalisation d'autant plus fort qu'elle s'est trouvée, sans aucune expérience préalable, confrontée à la fois à la disparition du modèle politico-social communiste, aux dimensions négatives du système libéral et à la crise des solidarités traditionnelles. La fin du pesant système de contrôle des individus par le parti et son appareil de répression a été bien vécue comme une délivrance, mais aussi comme une charge lourde, parce que contraignant l'individu à se réorienter au sein d'une société nouvelle dont les règles et les mécanismes de fonctionnement étaient inconnus[1]. » Cette situation de crise a pour effet de développer un système de valeurs qui prend le contre-pied des représentations occiden-

---

1. MOREAU, Patrick, *Les Héritiers du IIIe Reich. L'extrême droite allemande de 1945 à nos jours*, Paris, Seuil, 1994, p. 386.

tales de liberté et de tolérance. Ce repli, dont le rejet de l'Allemagne de l'Ouest est une des manifestations, se traduit par le mépris de ce qui est différent, « étranger » au sens général, et par la recherche de sécurité dans de petits groupes autoritaires et hiérarchisés qui ont parfois une influence locale certaine en organisant des concerts par exemple ou des actions de protection de l'environnement. L'extrême droite tisse également sa toile grâce à un réseau d'élus locaux dans les parlements de district et dans les municipalités. Lors des élections municipales du 7 juin 2009, l'extrême droite est ainsi entrée en Thuringe dans 18 parlements de district et conseils municipaux (dont celui de la capitale régionale, Erfurt). En Saxe, le nombre de ce type de mandats détenus par l'extrême droite a été multiplié par trois passant de 22 à 72, avec dans certains bastions de la Suisse saxoise des scores de 22 % pour le parti national-démocrate. Lors des élections régionales de 2006 dans le Mecklembourg, ce même parti avait obtenu 7,3 % des voix et 6 députés au parlement régional. Outre les préoccupations sociales et le sentiment de déclassement évoqués précédemment, l'absence de travail sur le passé en RDA qui s'est toujours présentée comme « antifasciste » – rejetant le passé nazi sur l'Allemagne de l'Ouest – a empêché toute réflexion auto-critique sur les crimes nazis. Dans son *Histoire de la société allemande de 1949 à 1990,* Hans-Ulrich Wehler évoque à ce sujet une « externalisation de la complicité » et l'érection de « barrières mentales »[1]. Ajoutés à la diffusion de « clichés de l'ennemi » (haine de l'Occident impérialiste et capitaliste), ces antécédents créent une prédisposition. Si cette résurgence de l'extrême droite à l'Est doit être analysée comme un élément du paysage politique, il serait erroné de soutenir que les extrémistes sont à l'Est et les démocrates à l'Ouest.

---

1. WEHLER, Hans-Ulrich, *Deutsche Gesellschaftsgeschichte 1949-1990* (Histoire de la société allemande de 1949 à 1990), München, Beck, 2008, p. 347 et 348.

Un modèle économique et social en mutation

Dans un discours prononcé le 24 mars 2009, le président fédéral, Horst Köhler, a affirmé que la crise financière et économique « confirmait la valeur de l'économie sociale de marché qui est beaucoup plus qu'un ordre économique puisqu'elle est un ensemble de valeurs unissant la liberté et la responsabilité au profit de tous, culture contre laquelle il fut porté atteinte », du fait de l'attitude des marchés financiers « que nous avons laissés en paix tant qu'ils étaient des machines à produire de la croissance mais qui se sont déconnectés de l'économie réelle et de la société en général »[1]. À travers ces propos, on sent pointer à la fois le désir de réhabiliter la formule fondatrice du modèle économique et social allemand, et de manière sous-jacente une interrogation sur la capacité de ce fameux modèle à empêcher, du moins à tempérer, les effets de la crise financière et économique des années 2008-2009, et donc finalement sur son efficacité. Au-delà de l'équilibre entre marché et régulation, l'économie sociale de marché a été légitimée par l'existence d'un État providence accepté comme juste et chargé de maintenir la cohésion sociale. Or, cette dernière composante s'effrite, elle aussi. Ainsi le troisième *Rapport du gouvernement fédéral sur la pauvreté et la richesse* publié en 2008 révèle que le pourcentage

---

1. Discours de Berlin du président fédéral Horst Köhler prononcé le 24 mars 2009 : « La crédibilité de la liberté », présidence fédérale, Berlin, p. 5 et 4.

de la population vivant au-dessous du seuil de pauvreté a augmenté depuis 1998 et est, après transferts sociaux, passé de 12,1 à 13 % de la population, que « l'écart entre les salaires s'est creusé » et que « le nombre de salariés à faible rémunération s'est accru »[1]. Déjà, le brûlot publié par un universitaire spécialiste de la protection sociale, devenu député, Karl Lauterbach, intitulé *L'État à deux classes*[2], avait mis en garde contre l'incapacité de l'État providence allemand à garantir la cohésion sociale, les sommes englouties, l'équivalent de 30 % du PIB, créant un système de dépendance ne servant finalement pas (ou mal) la cause des plus défavorisés. Signe de cette interrogation et de ce malaise : selon l'institut Allensbach et l'association des banques allemandes, l'adhésion à l'économie sociale de marché décroît puisqu'en 2000, 55 % des Allemands portaient une opinion positive sur ce système contre seulement 38 % aujourd'hui. Le *Frankfurter Allgemeine Zeitung* a, au printemps 2009, ouvert ses colonnes aux économistes et sociologues pour engager un débat sur l'avenir du capitalisme avec comme sous-titre « Le modèle allemand », les uns reprochant aux représentants du capitalisme financier « d'avoir trahi et abaissé l'économie sociale de marché au niveau d'un slogan vide en portant aux nues un libéralisme uniquement tourné vers le marché », les autres déplorant que l'on confonde « marchés libres et marchés sans règles » et que l'on oublie trop facilement que « plus l'économie est libre, plus elle est sociale »[3]. Cette interrogation à la fois sur les origines du

1. *Lebenslagen in Deutschland. Der 3. Armuts-und Reichtumsbericht der Bundesregierung* (Situations de vie en Allemagne. Troisième rapport du gouvernement fédéral sur la pauvreté et la richesse), ministère fédéral au Travail et aux Affaires sociales, Berlin, 2008, p. 18 et 85.
2. LAUTERBACH, Karl, *Der Zweiklassenstaat –wie die Privilegierten Deutschland ruinieren* (L'État à deux classes – Comment les privilégiés ruinent l'Allemagne), Berlin, Rowohlt, 2007.
3. *Frankfurter Allgemeine Zeitung*, 30 avril 2009.

modèle économique et social allemand, sur son efficacité à l'époque de la mondialisation et en temps de crise ainsi que sur sa pérennité touche à l'identité même de l'Allemagne d'aujourd'hui, tant ce système mis en place dans les années 1950 – mais en fait dès la réforme monétaire du 20 juin 1948 introduisant le Deutsche Mark – et lié au « miracle économique » est associé à la réussite des plus de 60 années qui séparent l'Allemagne unie de la création de la République fédérale, le 23 mai 1949. D'ailleurs dans son *Histoire sociale de l'Allemagne de 1949 à 1990*, Hans-Ulrich Wehler observe que, jusqu'à nos jours, « la charge que représente le succès de ces années fabuleuses a de plus en plus eu l'effet d'une perception déformée de la réalité, avec pour finir un blocage de réformes pourtant inévitables »[1]. Ce questionnement relatif à la pertinence et la pérennité du « modèle » économique et social allemand connaît des variantes en fonction des résultats économiques. Lorsqu'à partir de 2006, la croissance est relancée en Allemagne avec un taux annuel de 3 % suivi en 2007 de 2,5 % et que le chômage recule pendant ces mêmes années, c'est la question de la répartition qui domine ; lorsque la crise sévit avec une incidence dès 2008 sur le taux de croissance qui passe à 1,3 % et que le chômage remonte en 2009, la notion de protection est au cœur du débat.

NAISSANCE ET PERSISTANCE D'UN MYTHE FONDATEUR

À la lecture des programmes de partis et des discours de dirigeants politiques – Angela Merkel en tête –, on mesure combien union chrétienne-démocrate et parti social-démocrate rivalisent pour se présenter comme les meilleurs défenseurs de l'économie sociale de marché, référence incontournable tant du point historique qu'identitaire. C'est là un héri-

---

1. WEHLER, Hans-Ulrich, *Deutsche Gesellschaftsgeschichte 1949-1990...*, *op. cit.*, p. 63.

tage commun que les forces politiques – exception faite de *Die Linke* – cherche à s'approprier, tant il est associé au symbole fort de la reconstruction de l'après-guerre et au sentiment de fierté qui en a résulté, occupant dans ce sens un espace essentiel de la psychologie collective. Avec la réforme monétaire du 20 juin 1948 et la constitution du 23 mai 1949, la Loi fondamentale, l'économie sociale de marché fait partie des mythes fondateurs de la République fédérale. De la même façon qu'elle a servi de « valeur refuge » avant 1989 en l'absence de réalité nationale, elle est érigée aujourd'hui en rempart de protection et en incarnation du sens collectif. Au moment où les effets de la crise financière et économique se font sentir en Allemagne, la chancelière s'efforce de démontrer que ce n'est pas le modèle de l'économie sociale de marché qui est en cause mais son non-respect. Dans son discours prononcé devant le parlement fédéral, le 14 janvier 2009, au lendemain de l'annonce du second plan de relance, elle affirme : « Ce n'est pas une crise des fondements économiques, sociaux et financiers de notre République fédérale d'Allemagne... L'économie sociale de marché fait ses preuves à l'époque de la mondialisation. La concurrence a besoin d'équilibre et de responsabilité sociale. Ce sont bien là les principes de notre économie sociale de marché[1]. » Quelque temps plus tôt, elle avait déclaré : « Ce que nous vivons actuellement, ce sont les excès des marchés. En Allemagne, nous avons avec l'économie sociale de marché un modèle performant qui, à l'époque de la mondialisation, doit avoir une dimension internationale. L'économie sociale de marché repose sur le fait que l'économie de marché soit complétée par un cadre réglementaire. Le marché n'est pas abandonné à lui-même mais orienté pour le bien de

---

1. Déclaration gouvernementale prononcée par la chancelière fédérale, Angela Merkel, devant le Parlement fédéral, compte rendu de la 193e session du mercredi 14 janvier 2009, Parlement fédéral, p. 21430.

l'ensemble de la société[1]. » Quant au programme de gouvernement de la CDU/CSU présenté dans le cadre des élections fédérales du 27 septembre 2009, il soutient : « L'économie sociale de marché est le système que la CDU et la CSU ont imposé en Allemagne. C'est le système qui a rendu notre pays fort. Dans l'économie sociale de marché, l'État garantit le cadre au sein duquel les hommes agissent. Il fait en sorte que la concurrence non faussée crée des emplois, récompense l'effort et soutienne les faibles. » Il est même recommandé d'« ancrer les principes de l'économie sociale de marché au niveau international », l'Allemagne pouvant miser sur le fait que « son économie sociale de marché puisse devenir un modèle pour la planète »[2]. Quant au parti social-démocrate, il considère sous la plume de Frank-Walter Steinmeier que « l'histoire offre la possibilité de donner une seconde vie à l'économie sociale de marché » à la fois en maîtrisant « les forces destructives du marché » et en renforçant « les forces positives du marché » : « L'économie sociale de marché qui nous a rendus forts et doit être rénovée repose sur plusieurs piliers : une économie compétitive, un haut degré de protection sociale, la cogestion, le respect du travail, la recherche de pointe, une bonne formation professionnelle, sans oublier un ordre juridique fiable[3]. » Un responsable de l'Est, comme le ministre-président du Brandebourg, Matthias Platzeck, dont la référence à ce modèle de réussite n'a pourtant pas fait partie du parcours de socialisation – tout comme Angela Merkel d'ailleurs – a assimilé ce réflexe identitaire lorsqu'il note que « ce n'est pas le principe de l'économie sociale de marché qui est en crise, pas plus que celui du patronat social »[4]. Quant au

1. *Süddeutsche Zeitung*, 14 novembre 2008.
2. *Wir haben die Kraft –Gemeinsam für unser Land...*, *op. cit.*, p. 19 et 6.
3. STEINMEIER, Frank-Walter, *Mein Deutschland...*, *op. cit.*, p. 223, 226 et 228.
4. PLATZECK, Matthias, *Zukunft braucht Herkunft...*, *op. cit.*, p. 137.

programme du parti social-démocrate, il propose « un nouveau départ de l'économie sociale de marché » assurant « la participation juste des salariés à la prospérité et une juste répartition des revenus et du patrimoine » et donnant à l'État les moyens de « garantir aux citoyens la sécurité et des services publics performants »[1]. L'ancien chancelier Gerhard Schröder avait, le 14 mars 2003, annoncé son plan de réformes de l'État providence *Agenda 2010* en le justifiant par sa volonté d'adapter aux défis de la mondialisation – et donc de préserver – l'économie sociale de marché : « Ou nous conduirons une politique de modernisation en conservant comme cadre l'économie sociale de marché ou la modernisation nous sera imposée par les forces irrésistibles du marché qui veulent écarter la dimension sociale »[2], précisant peu de temps avant les élections fédérales de 2005 – pour lesquelles la CDU présentait d'ailleurs l'alternative aux électeurs sous la forme du slogan « l'économie sociale de marché ou la coalition rouge-verte » : « Le système de l'économie sociale de marché a apporté à notre pays force et succès... Nous devons à travers les réformes engagées par le gouvernement fédéral adapter l'économie sociale de marché aux conditions entièrement nouvelles de la mondialisation de l'économie[3]. » Les libéraux ne sont pas en reste lorsqu'ils rappellent dans le programme présenté en vue des élections fédérales de 2009 que les couches moyennes dont ils veulent être l'avocat ont bâti le miracle économique et porté « cette recette miracle solide et confirmée qu'est l'économie sociale de marché »[4]. À l'occasion

---

1. *Sozial und demokratisch...*, *op. cit.*, p. 6.
2. Déclaration gouvernementale du chancelier fédéral Gerhard Schröder, prononcée devant le Parlement fédéral, le 14 mars 2003..., *op. cit.*, p. 3.
3. Discours du chancelier fédéral, Gerhard Schröder, à l'occasion du colloque du groupe parlementaire social-démocrate sur « l'économie sociale de marché », Berlin, 13 juin 2005, http://www.bundeskanzler.de/reden2005, p. 1et 2.
4. *Die Mitte stärken...*, *op. cit.*, p. 3.

de la célébration en 2009 du soixantième anniversaire de la création de la République fédérale, plusieurs historiens ont à nouveau insisté sur le rôle capital de la réussite économique de l'après-guerre et de son socle, l'économie sociale de marché, dans l'acceptation par la population de la démocratie. Dans son ouvrage *La Recherche de la sécurité*, Eckart Conze évoque « une stabilisation et une intégration sous le signe de l'économie sociale de marché » en précisant que le « miracle économique a fait beaucoup plus pour le nouveau départ pris par l'Allemagne que l'intégration à l'Ouest, tant aux yeux des Allemands de l'Ouest que des observateurs étrangers »[1], notamment grâce à la marginalisation du réservoir électoral de l'extrême droite et des idées nationales-socialistes qui perduraient dans certains milieux. Un autre grand historien, Heinrich August Winkler, note dans *Le Long Chemin vers l'Ouest* que l'application de l'économie sociale de marché, « novation révolutionnaire », et la réussite du miracle économique ont conforté la société allemande dans sa « nostalgie de la normalité » sans soubresaut politique et ont en même temps facilité l'introduction de certaines innovations comme la cogestion dans l'entreprise, inaugurant ainsi une ère de « modernisation conservatrice »[2] dont l'Allemagne tire profit jusqu'à aujourd'hui dans sa perception de la stabilité. La presse n'est pas en reste, à l'instar du *Spiegel* qui a consacré en 2009 plusieurs articles sur ce sujet ainsi qu'un numéro spécial intitulé « un miracle allemand »[3]. L'auteur de l'article paru dans l'édition du 21 février 2009 constate : « Le miracle économique aida les citoyens à s'identifier avec la jeune République

1. CONZE, Eckart, *Die Suche nach Sicherheit...*, p. 157 et 159.
2. WINKLER, Heinrich August, *Der lange Weg nach Westen.*Band II : *Deutsche Geschichte vom « Dritten Reich » bis zur Wiedervereinigung* (Le Long Chemin vers l'Ouest. Tome II : Histoire de l'Allemagne du « Troisième Reich » à la réunification), München, Beck, 2000, p. 178.
3. *Der Spiegel.* Geschichte. n° 2/2009. *Ein deutsches Wunder* (Un miracle allemand).

fédérale. Les gens trouvèrent refuge dans la reconstruction du pays et occultèrent leur passé nazi. » Les dirigeants politiques savent très bien utiliser cette référence de la reconstruction et du miracle économique, symboles de l'effort et de la réussite collectifs, lorsqu'il s'agit d'en appeler à un sursaut. Ainsi, dans son discours du 14 janvier 2009 consacré à la crise financière et économique, Angela Merkel évoque l'époque de la reconstruction et celle de la chute du Mur pour rappeler que « l'Allemagne a su faire face à des défis d'une autre dimension »[1].

Pour saisir l'importance de ce mythe fondateur dans l'histoire à la fois politique et sociale de l'Allemagne, avec un prolongement palpable jusqu'à nos jours, il faut se remémorer le contexte de sa naissance et les stades de son évolution. Le projet d'économie sociale de marché est à mettre en relation avec l'expérience encore proche du totalitarisme dans l'après-guerre et un désir de renouveau d'autant plus fort qu'un système d'économie planifiée se met en place dans la zone d'occupation soviétique. À partir du moment où, en 1947, la guerre froide entre les deux blocs s'était installée durablement, l'affirmation d'un « contre modèle » économique a bien entendu également une dimension politique et culturelle. Cette organisation économique mise en place à partir de 1948 mais surtout à partir de 1949 par Ludwig Erhard, d'abord comme ministre de l'Économie chrétien-démocrate du chancelier Adenauer, puis ensuite comme chancelier jusqu'en 1965, aidé en cela par son principal conseiller, Alfred Müller-Armack, professeur d'économie à l'université de Cologne, s'appuie sur les travaux des théoriciens ordolibéraux réalisés dans les années 1930. Il s'agit d'un groupe d'universitaires

---

1. Déclaration gouvernementale de la chancelière fédérale, Angela Merkel, prononcée le 14 janvier 2009…, *op. cit.*, p. 21430.

dont les économistes Wilhelm Röpcke, Alexander Rüstow et Walter Eucken ou le juriste Franz Böhm – ces deux derniers publiant à partir de 1948 une revue consacrée aux questions économiques *Ordo* –, personnalités réputées qui ont travaillé sur le régime de la concurrence, les monopoles et les questions monétaires, avec comme fil conducteur l'idée que l'État, pour éviter le chaos politique et économique de la République de Weimar (en tout cas sur la fin), doit façonner le cadre de l'activité économique et limiter le pouvoir des groupes d'intérêts économiques, sachant qu'ordre économique et ordre social sont interdépendants et que la libre concurrence ne suffit pas à fonder l'harmonie. Aux yeux des ordolibéraux, l'économie de marché, pour être acceptable, doit être tempérée, voire aménagée. Dès 1933, Franz Böhm insiste dans son ouvrage *Concurrence et lutte contre le monopole* sur le fait que l'école libérale classique « ne prévoyait pas les tensions et les résistances, notamment l'animosité sociale, que pouvait susciter le système libéral »[1]. Quant à Wilhelm Röpcke, partant du double constat que l'économie de marché a des effets sociaux désintégrateurs et que l'industrialisation a conduit à une grande prolétarisation, il défend l'idée que certains domaines de l'activité sociale et économique, tels que les services collectifs et les œuvres de solidarité, ne peuvent être soumis aux règles de concurrence de l'économie de marché. Il faut introduire des stabilisateurs sociaux, notamment une organisation du marché du travail. La reconnaissance de l'implication de l'État dans la vie économique est le point de départ de la réflexion sociale et éthique de cette école de pensée. À partir de l'ensemble de ces travaux, Röpcke dresse dans son ouvrage de 1949 *La Cité humaine* un véritable programme pour l'après-guerre qui fait valoir la nécessité d'un renouveau éthique sur

---

1. BÖHM, Franz, *Wettbewerb und Monopolkampf* (Concurrence et lutte contre le monopole), Berlin, Heymanns, 1933, réed. 1964, p. 333.

lequel se fondera un nouvel ordre économique : « Le principe social et humaniste doit faire contrepoids au principe individualiste qui est le noyau de l'économie de marché. Ce n'est que si les deux coexistent dans notre société moderne que les dangers mortels de la pauvreté de masse et de la prolétarisation pourront être évités[1]. » Le marché et la politique sociale sont étroitement liés, le bon fonctionnement du premier étant cependant la condition nécessaire à l'épanouissement de l'activité économique qui rend possible la politique sociale. Dans les colonnes de la revue *Ordo*, Walter Eucken défend à la même époque l'idée d'une meilleure répartition du revenu par un impôt progressif juste, tandis qu'Alexander Rüstow suggère une réforme du droit de succession visant à limiter l'apport de l'héritage au capital nécessaire à la création d'une entreprise. Quant à Alfred Müller-Armack, il propose d'introduire la citoyenneté dans l'entreprise en faisant participer les salariés au capital de celle-ci.

Tout en s'inspirant des travaux des économistes ordolibéraux, les tenants de l'économie sociale de marché s'en distinguent en accordant une priorité plus grande aux objectifs de cohésion sociale – concernant la protection sociale, par exemple – ou en intervenant, du moins au début, de manière plus dirigiste dans la politique économique – au sujet du maintien du contrôle des prix dans certains secteurs comme le charbon et l'acier, par exemple. Alfred Müller-Armack, l'inventeur de l'expression « économie sociale de marché », présente en 1947 les grandes lignes de son projet sous la forme de ce que l'on appellera en Allemagne « la société de consensus » (*Konsensgesellschaft*) dans un mémoire intitulé *L'Ordre économique d'un point de vue social*. Pour le futur

---

1. RÖPCKE, Wilhelm, *Civitas Humana. Grundfragen der Gesellschafts-und Wirtschaftsreform* (La Cité humaine. Questions fondamentales de la réforme de la société et de l'économie), Erlenbach/Zürich, Rentsch, 1949, p. 83.

conseiller et secrétaire d'État de Ludwig Erhard, « c'est une erreur de toujours traiter les questions économiques sous un angle philosophique », perspective qui transforme les problèmes pratiques en « guerres de religion » et donc divise au lieu d'unir. Or l'union est nécessaire à l'édification d'un nouvel ordre économique, instrument neutre pour organiser le monde du travail. L'économie sociale de marché est un espace de liberté où se conjuguent l'économie de marché, « l'assurance de la liberté intellectuelle et personnelle ainsi qu'une solidarité sociale ». La politique économique qui s'en revendique doit « abandonner toute attitude idéologique et tenter de trouver un terrain de convictions communes permettant de réaliser les objectifs de justice sociale et de nécessaire création de richesses ». Les partenaires sociaux sont appelés à y jouer un rôle central. Pour Müller-Armack, « l'économie sociale de marché offre la marge nécessaire à des négociations libres entre les chefs d'entreprise et les syndicats, sans que ces accords soient dénaturés par l'intervention de l'État »[1]. Le thème de l'économie sociale de marché sera popularisé par Ludwig Erhard dans son intervention du 28 août 1948 devant le congrès de la CDU de la zone d'occupation britannique, affirmant qu'il ne s'agit ni d'une économie de marché, au sens du libéralisme classique, ni du libre jeu des forces du marché, mais « d'une économie de marché au fondement social qui valorise l'individu, place la personnalité au premier plan et apporte le bénéfice de la performance et d'un juste revenu »[2]. Associée pendant la première décennie d'existence de la République fédérale uniquement à la CDU qui en fait son étendard dès son congrès du 14 août 1949, l'économie sociale de marché

---

1. MÜLLER-ARMACK, Alfred, Die Wirtschaftsordnung, sozial gesehen (L'Ordre économique d'un point de vue social) in *Grundtexte zur sozialen Marktwirtschaft* (Textes fondamentaux sur l'économie sociale de marché), éd. par la Fondation Ludwig Erhard, Stuttgart/New York, Gustav Fischer Verlag, 1981, p. 21, 20 et 30.
2. *Ibidem*, p. 48.

va progressivement devenir une « valeur partagée » après l'abandon par le parti social-démocrate de la doctrine marxiste de la lutte des classes au congrès de Bad-Godesberg du 13 au 15 novembre 1959. Dans son nouveau programme, le SPD reconnaît la propriété privée des moyens de production « dans la mesure où elle n'entrave pas l'institution d'un ordre social juste » et « approuve une économie de marché libre partout où la concurrence s'affirme », faisant sien le précepte : « La concurrence dans toute la mesure du possible, la planification autant que nécessaire[1]. » Ce n'est qu'une étape vers le ralliement à l'économie sociale de marché, dont les sociaux-démocrates ne prononcent pas encore le terme, mais elle est essentielle. C'est la « révolution des esprits » : l'économie sociale de marché n'est plus l'apanage d'une seule formation politique. Cette évolution s'accélérera avec l'accession des sociaux-démocrates au pouvoir, d'abord à partir de 1966 dans une grande coalition avec la CDU, au sein de laquelle le ministre de l'Économie, Karl Schiller est social-démocrate, et après la conquête de la chancellerie par Willy Brandt en 1969. Karl Schiller apporte sa propre touche à l'économie sociale de marché en 1967, sous la forme d'une loi sur la promotion de la stabilité et de la croissance qui permet au gouvernement d'intervenir dans le processus économique en utilisant les finances publiques comme mode de régulation. Dans le cadre de l'économie de marché, l'État et les Länder doivent veiller aux impératifs de l'équilibre macroéconomique, prendre des mesures pour maintenir la stabilité des prix, un haut niveau d'emploi et favoriser un rythme de croissance régulier. L'assimilation par la gauche allemande des « valeurs » de l'économie sociale de marché se poursuivra jusqu'à ce que les

---

1. In *Programmatische Dokumente der deustchen Sozialdemokratie* (Documents programmatiques de la social-démocratie allemande), éd. par Dieter Dowe, Bonn, Dietz, 1990, p. 368, 357 et 359.

dirigeants sociaux-démocrates se présentent eux-mêmes, très nettement à partir des années 1980, comme les plus ardents défenseurs de l'économie sociale de marché. Gerhard Schröder en fera même un argument électoral dans une lettre adressée au président du patronat allemand, tant pour rassurer que pour faire valoir une quelconque compétence économique : « Un des éléments de la réussite de notre économie sociale de marché est le fait qu'elle soit basée sur le principe d'une société de partage et non sur une éthique du renoncement. Pour faire simple, j'appelle cela le modèle rhénan[1]. » Cette assimilation par la très large majorité des forces politiques de l'économie sociale de marché comme référence commune est d'autant plus aisée qu'elle est associée dans la mentalité collective au progrès économique et au progrès social, le premier étant la condition nécessaire du second, avec pour objectif de fluidifier les structures sociales et de faire émerger une vaste classe moyenne. Dans son ouvrage-programme de 1957 *Prospérité pour tous*, titre devenu un véritable slogan jusqu'à aujourd'hui, Ludwig Erhard constate ainsi : « Le départ de toute cette entreprise a été le souhait de dépasser définitivement l'ancienne structure sociale conservatrice à travers la distribution d'un pouvoir d'achat élevé destiné à une large majorité... Par le biais de la concurrence, on réalise – dans le meilleur sens du terme – une socialisation du progrès et du profit[2]. » La mise en place de l'économie sociale de marché est d'abord marquée par le miracle économique associant un taux de croissance élevé. De 1950 à 1955, le taux de croissance annuel moyen atteint 9,5 % et sur la décennie 1950-1960 8,5 %.

---

1. SCHRÖDER, Gerhard, *Und weil wir unser Land verbessern. 26 Briefe für ein modernes Deutschland* (Parce que nous améliorons notre pays. 26 lettres en faveur d'une Allemagne moderne), Hamburg, Hoffmann und Campe, 1998, p. 28.
2. ERHARD, Ludwig, *Wohlstand für alle* (Prospérité pour tous), Düsseldorf, Econ, 1957, réed.1990, p. 7.

Sur une plus longue période de 1950 à 1973, le taux de croissance annuel moyen est de 6,5 %, soit deux fois plus que les
États-Unis et le niveau le plus élevé en Europe. De 1958 à 1963,
la production industrielle allemande augmente de 37 %,
contre par exemple 27 % aux États-Unis, l'Allemagne étant
devenue le pays le plus industrialisé du monde par le nombre
de salariés employés dans le secteur rapporté au nombre
d'habitants. Progressivement, à partir du début des
années 1970, les services vont occuper une place de plus en
plus importante, représentant 34 % de la population active en
1950, 43 % en 1970 avant d'atteindre 64 % en 2000. Dès le
départ, ce qui va devenir jusqu'à nos jours le « cœur » du capitalisme rhénan, les petites et moyennes entreprises jouent un
grand rôle représentant 70 % de la population active et 46 %
des investissements. Quant au taux de chômage, il passe de
10,4 % en 1950 à 1,2 % en 1960. La dynamique des exportations fait même de la République fédérale, dès 1959, la
deuxième puissance commerciale du monde, derrière les États-
Unis, autre caractéristique de l'économie allemande qui
prévaut jusqu'à aujourd'hui. On sait que certains facteurs extérieurs ont contribué à ce miracle économique comme l'argent
injecté grâce au plan Marshall (dont l'impact a été néanmoins
longtemps surestimé, l'Allemagne ayant en fait bénéficié de
sommes moins importantes que la France ou l'Angleterre), la
guerre de Corée qui a permis à l'Allemagne, interdite de vente
d'armes, de se concentrer sur la conquête des marchés
mondiaux en quête de produits industriels ou l'accord de
Londres de 1953 qui, avec l'aide des États-Unis, réduisit la dette
allemande de l'avant-guerre de 10 milliards. Cette période est
présentée et vécue comme une sorte « d'âge d'or » de l'histoire
allemande dont les succès sont l'œuvre des Allemands eux-
mêmes. Cette perception n'aurait sans doute pas prévalu
jusqu'à nos jours si cette période n'avait pas aussi été marquée

par un certain nombre d'avancées sociales, tant en ce qui concerne la législation sociale, l'évolution des revenus que la structure de la société. Ainsi, les années 1950-1960 sont caractérisées par la promulgation de lois sociales favorables à l'esprit de solidarité et dont certaines servent de fondement à l'État providence allemand : 1951, loi introduisant la cogestion dans l'ensemble des entreprises du secteur du charbon et de l'acier de plus de 1 000 salariés, avec parité au conseil de surveillance entre actionnaires et salariés ; 1952, loi de péréquation des charges permettant à travers la création d'un impôt exceptionnel sur la fortune de dédommager ceux – en grande partie des expulsés de territoires à l'Est de l'Oder-Neisse – qui avaient perdu leurs biens ou leur entreprise du fait de la guerre ; 1952, loi sur la constitution interne des entreprises définissant l'entreprise comme une véritable institution avec une fonction sociale qui implique la présence d'organes de concertation, le comité d'entreprise, et de cogestion (pour les sociétés par actions et les sociétés de capitaux de plus de 500 personnes : un conseil de surveillance dont un tiers de représentants des salariés, deux tiers de représentants des actionnaires) ; 1957, réforme des retraites introduisant l'indexation du niveau des pensions sur l'évolution des salaires bruts, soit une augmentation moyenne de 60 %, et le principe de répartition, inaugurant la naissance de ce que l'on appellera le « contrat entre les générations » ; 1961, création de l'aide sociale permettant de percevoir un « minimum digne ». Ces premières lois sociales de la nouvelle République fédérale furent révisées, complétées ou améliorées ultérieurement, notamment sous les gouvernements sociaux-démocrates comme dans le cas des retraites en 1972 avec Willy Brandt ou de la cogestion en 1976 sous Helmut Schmidt, instaurant par là même une sorte de « continuité » dans le rapport à l'économie sociale de marché, notamment à travers la persistance de la philosophie selon laquelle l'objectif de la politique sociale n'est pas seulement de soulager la misère mais de donner à chacun un niveau de vie décent. On comprend mieux combien le modèle « rhénan » est la combinaison d'un modèle de société et d'un modèle économique. La constitution allemande porte d'ailleurs les traces de cette « orientation sociale » qui a fait, dès l'origine, débat chez les pères de la Loi fondamentale, comme en témoigne l'engagement de Carlo Schmid qui plaidait en faveur d'un « État de droit social », proposition qui fut aménagée et déboucha, après les discussions au sein du Conseil parlementaire, le 15 décembre 1948, sur l'adoption de l'actuel article 20 stipulant que la République fédérale d'Allemagne est « un État fédéral, démocratique et social ». De même, l'article 14 précise que l'usage de la propriété doit contribuer au bien de la collectivité. À l'article 9, l'existence des partenaires sociaux, piliers du modèle économique et social, dont une loi du 9 avril 1949 avait déjà codifié le rôle exclusif d'autorégulation dans le règlement des rapports collectifs du travail à travers la fameuse « autonomie tarifaire », est explicitement reconnue par le droit de fonder des associations pour la sauvegarde et l'amélioration des conditions de travail. L'État providence bénéficie ainsi d'un ancrage dans la constitution au même titre que l'État de droit. La « réussite » de l'économie sociale de marché n'est de ce fait concevable – et d'ailleurs perçue – qu'à travers l'alliance qu'elle suppose entre capital et travail et donc à travers le double aspect du succès économique et de la justice sociale. Ainsi, les premières décennies de l'économie sociale de marché sont marquées par un gain de pouvoir d'achat important pour le monde ouvrier, de 4,2 % en moyenne annuelle entre 1950 et 1959 pour un ouvrier spécialisé et de 4,8 % entre 1960 et 1969. De manière générale, les revenus réels augmentent de 70 % entre 1948 et 1960 et de 92 % entre 1960 et 1978. Parallèlement, la durée effective du temps de travail des salariés passe de 49 heures par semaine en 1955 à 45 heures en 1965 et à 41 heures en 1975. L'évolution des revenus, pour lesquels les écarts sont parmi les plus faibles de l'OCDE jusqu'au début des années 1980, contribue à l'émergence d'une classe moyenne aux styles de vie et de consommation similaires ainsi qu'à une mobilité sociale qui rompt avec la rigidité de l'empire allemand d'avant 1918 et des premières années de la République fédérale. Même si la thèse formulée en 1956 par le sociologue conservateur Helmut Schelsky, selon laquelle l'Allemagne du miracle économique était une « société de classe moyenne nivelée » dont l'apparition a conduit à « une moindre importance des classes sociales en général et à l'effacement des tensions entre classes sociales », chacun développant le sentiment de « pouvoir participer à l'abondance et au luxe de l'existence » est aujourd'hui abandonnée, elle a pu correspondre, dans un contexte de nouvelle aisance matérielle, à une impression du moment. En tout cas, si les différenciations sociales ont continué à exister, le sentiment de mobilité sociale, favorisé par la nécessité d'intégrer entre 1945 et 1961 jusqu'à 12 millions de réfugiés et d'expulsés, était un phénomène nouveau. Les recherches récentes, notamment celles conduites par l'historien Hans-Ulrich Wehler[1], relèvent que cet « âge d'or » du miracle économique a été aussi marqué par une grande « concentration et une répartition inégale du patrimoine entre les mains de ceux qui se trouvent en haut de la pyramide », 1,7 % de la population détenant en 1960 75 % du patrimoine productif et 35 % de l'ensemble du patrimoine, observation atténuée, voire refoulée, par la réalité d'une prospérité partagée et le sentiment de « pouvoir bénéficier de l'effet d'ascenseur »[2]. En dépit d'une forme possible d'illusion et de transfiguration – en tout cas de grossissement en terme

---

1. WEHLER, Hans-Ulrich, *Deutsche Gesellschaftsgeschichte 1949-1990…*, *op. cit.*
2. *Ibidem*, p. 121 et 124.

d'optique – cette époque n'en a pas moins constitué un moment de réussite économique et de cohésion sociale facilitant son accès au statut de mythe fondateur. Or, la nouvelle réalité sociale du début du XXIᵉ siècle met à mal le rôle de stabilisateur que semblait jouer le modèle économique et social né dans ces années.

LA NOUVELLE RÉALITÉ SOCIALE

Dans un pays où l'époque de la reconstruction, du miracle économique et de la mise en place de l'économie sociale de marché est un élément essentiel de la mémoire collective, le doute qui s'empare de la population quant à l'efficacité et la pérennité d'un modèle économique et social jusqu'alors tant vanté a nécessairement un effet déstructurant. En effet, ce qui avait fondé la réussite de ce modèle, prospérité, cohésion sociale, force des acteurs sociaux est mis à mal. Signe des temps : la désaffection à l'égard des acteurs sociaux, syndicats et organisations patronales, piliers de ce système. Le taux de syndicalisation est ainsi passé de 40 % en 1963 à 20 % aujourd'hui. La confédération des syndicats allemands (DGB) qui revendique 6,3 millions de membres en a perdu 5 millions depuis l'unification. Restée de culture ouvrière, elle est peu présente dans les secteurs en expansion comme la communication ou l'informatique. Les organisations patronales, notamment la Fédération des associations d'employeurs (BDA), sont confrontées à des difficultés analogues. En Allemagne de l'Ouest, seulement 43 % des entreprises regroupant 62 % des salariés sont encore parties prenantes d'une convention collective ; en Allemagne orientale, cela ne concerne plus que 21 % des entreprises et 43 % des salariés. Le malaise est aussi là : il ronge le système qui ne semble plus protéger de la précarité, du déclassement social et de la pauvreté. La « nouvelle pauvreté » et l'accroissement des inégalités de revenus – qui restent cependant parmi les plus faibles de l'Union européenne avec un rapport de 3,6 entre les 20 % de personnes les mieux rémunérées et les 20 % aux revenus les plus bas – constituent la menace la plus visible et la plus sensible en terme de cohésion sociale, avec toujours en arrière-plan, plus qu'ailleurs, un rapport au passé tel que tout symptôme de crise sociale et/ou économique est tout de suite mis en relation avec les déboires de la République de Weimar, son effondrement financier et son chômage élevé. Ainsi, à peine le chômage avait-il augmenté suite à la crise financière et économique de 2008-2009 que *Der Spiegel* rappelait dans ses éditions du 13 octobre 2008 et du 27 avril 2009 les longues queues de chômeurs des années 1930 (6 millions de chômeurs en février 1932 pour 12 millions d'actifs), évoquant dans le dernier cas « des parallèles inquiétants », la crise actuelle « rappelant sur beaucoup de points la grande dépression des années qui ont suivi 1929 ». Dans son *Rapport sur la richesse et la pauvreté* de 2008, le gouvernement fédéral constate lui-même à propos des années 2002 à 2006 que « l'inégalité dans la répartition des revenus a augmenté » et que « la part des bas salaires dans l'ensemble des revenus salariaux a reculé »[1], de 14,1 à 13,9 %, alors même que le nombre de personnes intégré à cette catégorie s'est accru. Le dernier décile de la part des salaires les plus élevés est passé dans le même temps de 22,8 à 23,1 %. Les bas salaires qui ne permettent plus de vivre dignement de son travail sont devenus un des aspects les plus inquiétants de l'effritement du système, la confédération des syndicats allemands ayant relevé des niveaux de rémunération très bas dans le secteur de la sécurité, la coiffure ou le transport routier, jusqu'à 5 euros de l'heure. Sur une plus longue période, les chiffres sont encore plus significatifs : entre 1995 et 2009, la part des salariés à faible rémunération est passée de

---

1. *Lebenslagen in Deutschland…*, *op. cit.*, p. IV et 13.

15 % de l'ensemble des effectifs salariés à 36 %. Si les salaires réels augmentent de nouveau depuis 2006, ils ont reculé entre 2002 et 2005 de 4,8 % marquant un retard difficile à combler. Sur une longue période de 1992 à 2008, le décrochage du revenu net par tête des 10 % les plus pauvres de la population est impressionnant : il a reculé de 13 %, alors que le revenu net par tête des 10 % les plus riches a progressé de 31 %. Le taux de chômage a certes connu une décrue entre décembre 2005 et décembre 2008 passant de 11 % à 7,8 %, mais il remonte depuis janvier 2009 dépassant à nouveau les 3,5 millions de personnes touchées, renforçant le sentiment de précarité et la peur de glisser dans la pauvreté. Celle-ci a augmenté ces dernières années et se situe à un niveau élevé particulièrement en Allemagne orientale (voir plus loin le sous-chapitre : « L'unification inachevée »). Selon une étude de la Fédération des associations caritatives parue en 2009, le taux de pauvreté s'établit en Allemagne à 14,3 % – 12,9 % à l'Ouest et 19,5 % à l'Est (tableau 1). On notera que ces taux sont plus élevés que ceux indiqués dans le rapport du gouvernement fédéral sur le sujet (voir plus haut). Les chômeurs, les personnes sans diplôme ainsi que les mères célibataires sont les plus menacées. Le risque de pauvreté est plus élevé chez les personnes issues de l'immigration, situation en grande partie liée à un niveau de revenu particulièrement faible. Dans cette catégorie de la population, le taux de pauvreté s'établit à 28 %, contre 13 % pour l'ensemble de la population allemande (avec un revenu égal ou inférieur à 60 % au revenu médian).

Tableau 1 : Évolution du taux de pauvreté en Allemagne, durée égale ou supérieure à deux ans (en % de la population)

	2000	2002	2004	2006	2009
Ouest	6,5	8,8	9,7	11,3	12,9
Est	8,5	10,6	13,5	17,3	19,5

Source : Institut de recherche économique de Berlin, 2009 et Atlas de la pauvreté, 2009.

Même si le taux de pauvreté peut être relativisé du fait que l'Allemagne est parmi les pays les mieux classés de l'Union européenne (avec la Suède : 12 %) et que le critère retenu de 60 % du salaire médian équivaut outre-Rhin à 780 euros, il n'en est pas moins un élément de la dégradation de la situation sociale – et de sa perception – puisque ce taux n'a cessé de croître depuis 2000. L'accroissement des inégalités de revenus et la stabilisation persistante d'une pauvreté due en partie à un niveau de salaires très bas dans certains secteurs créent un double sentiment de précarité et de déclassement social. Dans son étude sur *La Sociologie des milieux sociaux en Allemagne*, le sociologue Gero Neugebauer observe que « le climat général en Allemagne est marqué par l'insécurité sociale, les peurs face à l'avenir et une grande sensibilité à l'égard de l'inégalité sociale croissante et de l'absence de mobilité sociale ». Ce sentiment touche particulièrement les milieux populaires et défavorisés où prédomine l'idée que « quand on est en bas de la pyramide on y reste »[1]. Cette impression est d'autant plus forte que ces catégories sont aussi les plus concernées par le développement des contrats à durée déterminée qui ont connu un bond en Allemagne depuis le milieu des années 1990. Depuis 1994, le nombre de salariés à contrat à durée déterminée est passé de 1,9 million à 2,7 millions ; celui des personnes travaillant à temps partiel de 6,5 millions à 11,8 millions. Selon Eurostat, 14,5 % des salariés ont en Allemagne un contrat à durée déterminée contre 13,5 % en France et 13 % en Italie. Si le malaise est bien réel dans les milieux populaires, il touche aussi la classe moyenne. Cette classe moyenne qui a constitué l'ossature du miracle économique des années 1950/1960 s'effrite. Là encore, l'érosion de la classe moyenne connaît une accélération depuis le début des années

---

1. NEUGEBAUER, Gero, *Politische Milieus in Deutschland* (Sociologie politique des milieux sociaux en Allemagne), Bonn, Dietz/FES, 2007, p. 46.

2000. En 2008, cette partie de la population représente 54,1 % de la population contre 62,3 % en 2000. Une fraction a certes connu une ascension vers les couches supérieures, mais une part plus importante a subi un glissement vers le bas (tableau 2).

Tableau 2 : Évolution de la composition de la population allemande entre 2000 et 2008 (en % de la population totale)

	2000	2008
Couche supérieure à haut revenu (supérieur à 150 % du revenu net moyen par personne)	18,8	20,5
Couche moyenne à revenu moyen (entre 70 et 150 % du revenu net moyen net moyen par personne)	62,3	54,1
Couche à bas revenu pouvant glisser vers la pauvreté (revenu inférieur à 70 % du revenu net moyen par personne)	18,9	25,4

Source : Institut de recherche économique de Berlin, 2009.

L'interrogation sur la pérennité du modèle économique et social n'est pas sans lien avec la question démographique qui pose elle-même le problème du financement du système de protection sociale. En effet, l'Allemagne plus que tout autre pays européen est confronté à un déclin démographique et à un vieillissement accéléré de sa population. Le modèle social allemand exige pour fonctionner une réelle cohésion entre les générations qui est en train de s'effriter en raison du déséquilibre croissant entre « personnes jeunes » et « personnes âgées ». Depuis 1972, l'Allemagne accuse un excédent de décès par rapport aux naissances, déficit qui a pu être comblé par l'immigration. Or, depuis 2003, ce n'est plus le cas. Ces trois dernières années, l'Allemagne a perdu 240 000 habitants. L'augmentation du taux de fécondité passé à 1,37 enfant par femme est insuffisante pour enrayer le déclin, le nombre de décès restant quasiment stable. L'autre facteur défavorable est la répartition par âge de la population féminine : alors que l'Allemagne comptait en 1989 6,3 millions de femmes âgées de 25 à 34 ans, donc en âge de procréer, elles ne sont plus aujourd'hui que 4,8 millions. Plusieurs projections prévoient pour l'Allemagne une perte de 18 millions d'habitants d'ici à 2050 (tableau 3) impliquant une restructuration profonde de la pyramide des âges : de 25 % aujourd'hui les plus de soixante ans passeraient à 40 % de la population, tandis que les moins de vingt ans, 20 % de la population actuelle n'en représenterait plus que 15 %.

Tableau 3 : Évolution démographique (en millions d'habitants)

	2008	2025	2050
Allemagne	82,1	76,4	64,9
France	64,1	60,4	55,8
Royaume-Uni	60,7	59	53,5

Source : ONU et OCDE, 2009.

Ce déclin démographique et ce vieillissement de la population allemande signifient à moyen et long terme une baisse de la main-d'œuvre disponible, un danger pour la création et l'innovation et donc finalement la croissance. Si le solde migratoire net actuel de 180 000 personnes (moyenne annuelle des 15 dernières années) est maintenu, la réserve de main-d'œuvre de l'Allemagne diminuera et le nombre de jeunes en formation ne suffira pas pour occuper les emplois qualifiés, alors même que les emplois en personnel qualifié, notamment dans les services, sont amenés à s'accroître. On comprend mieux pourquoi les économistes Roland et Andrea Tichy considèrent dans leur étude *La Pyramide renversée* qu'il faudrait au moins un solde migratoire annuel moyen de 324 000 personnes pour espérer maintenir le niveau démographique actuel[1]. Cela impliquerait une politique migratoire d'une autre dimension, alors qu'actuellement 8 % de la population vivant en Allemagne est étrangère et 18 % issus de l'immigration (immigrés de la première génération et leurs enfants – dont 8,1 millions, soit 10 % de la population allemande ont la nationalité allemande). L'autre incidence plus immédiate de l'évolution démographique concerne le financement de la protection sociale, avec deux grands dossiers : la santé et les retraites. Avec le vieillissement, le nombre de personnes dépendantes devrait exploser : d'ici à 2050, le rapport de dépendance des personnes âgées de plus de 65 ans pourrait atteindre 58 %. La question du financement se pose également au sujet des retraites : en effet, alors qu'il existe aujourd'hui 43 retraités pour 100 actifs, le rapport serait en 2030 de 61 retraités pour 100 actifs. Les incidences sur les budgets sociaux seront considérables, alors que l'Allemagne a déjà un niveau de dépenses de protection sociale équivalant à 30 % de son produit intérieur brut (PIB), contre une moyenne de 27 % dans l'ensemble de l'Union européenne et que ses dépenses actuelles liées à la santé et à l'âge représentent déjà 72 % de l'ensemble des dépenses sociales, financées aux deux tiers par les cotisations des employeurs et des salariés. Or, en dépit de la baisse de la cotisation chômage en 2007, 2008 et 2009, le niveau élevé des cotisations sociales conduit à ce que le revenu net des salariés dépasse à peine la moitié du salaire brut, situation qui conduit à ce que dans la tranche inférieure des revenus le salaire net soit souvent très proche des revenus de substitution. Cette situation provoque une impression d'appauvrissement qui gagne non seulement le secteur des

---

1. TICHY, Roland/TICHY, Andrea, *Die Pyramide steht Kopf. Die Wirtschaft in der Altersfalle und wie sie ihr entkommt* (La Pyramide renversée. L'économie dans le piège de l'âge et le moyen d'y échapper), München, Piper, 2003, p. 129.

salaires mais aussi celui des salaires moyens et débouche sur une contestation de plus en plus grande du système existant.

Le pouvoir politique a voulu répondre en engageant une réforme de l'État providence qui remonte dans la période récente à l'année 2003 et la présentation par Gerhard Schröder de l'*Agenda 2010* dont le parti social-démocrate paie encore politiquement le prix aujourd'hui (voir chapitre II : « une social-démocratie en crise ») et qui a été poursuivie par Angela Merkel à partir de 2005. L'esprit de ces réformes a été insufflé par une série d'études conduites par des économistes, des sociologues et des historiens prônant une réflexion sur les finalités de l'État providence et mettant en garde contre l'inadaptation du système social allemand à la mondialisation. Figure de proue de cette réflexion, le sociologue Franz-Xaver Kaufmann déplore dans son ouvrage *Les Variantes de l'État providence* « un affaiblissement de la synergie entre politique sociale et politique économique », effet démultiplié depuis l'unification. Il observe que le système allemand de protection sociale n'est pas comme en Angleterre fondé sur la nécessité d'éviter de tomber dans la pauvreté mais sur la volonté de garantir dans tous les cas aux bénéficiaires la couverture de leurs besoins essentiels aux frais de la collectivité, avec pour conséquence « une moindre pression pour la reprise du travail » et souvent « un bilan mitigé de la politique de l'emploi »[1], réduite au financement de l'exclusion. En outre ce système n'a subi depuis l'après-guerre que deux modifications majeures, en 1957 avec une réforme des retraites et en 1994 avec l'introduction de l'assurance dépendance. Pour l'historienne Gabriele Metzler qui dresse dans son étude sur *L'État providence allemand* un

---

1. KAUFMANN, Franz-Xaver, *Varianten des Wohlfahrtsstaates. Der deutsche Sozialstaat im internationalen Vergleich* (Variantes de l'État providence. L'État social allemand dans la comparaison internationale), Frankfurt am Main, Suhrkamp, 2003, p. 10 et 306.

bilan inquiétant du système de protection sociale en Allemagne, il faut clairement poser la question de savoir si « l'État providence n'est pas, dans sa forme actuelle, un projet historiquement dépassé », non seulement parce qu'il a été conçu dans un cadre strictement national, mais aussi parce qu'il s'inspire uniquement d'une philosophie de la répartition dont le principe a été adopté à une époque de croissance et de plein-emploi. Or, le chômage de masse et le vieillissement de la population ont bouleversé le contexte. Le cercle vicieux résulte du fait que « l'État providence allemand a été construit sur le principe d'une dépendance du système de protection sociale des revenus », impliquant que « seul celui qui a payé les cotisations peut revendiquer des prestations »[1], alors que les conditions de travail ont évolué vers une plus grande précarité et une vie de travail discontinue. La crise de l'État providence n'est pas seulement de nature financière mais aussi socio-culturelle. Une réflexion doit être engagée non seulement sur le niveau des prestations versées mais aussi sur la base du financement qui ne saurait se limiter à la seule imposition du revenu du travail. De manière plus générale, ces études indiquent que les notions de responsabilité collective et de responsabilité individuelle doivent être repensées. Ce sont ces principes qui inspireront « les réformes Schröder-Merkel », tant les unes sont indissociables des autres, avec un objectif commun : diminuer le coût du travail en Allemagne. Annoncée comme priorité par Gerhard Schröder dans son discours du 14 mars 2003 lorsqu'il en appelle à une rénovation de l'État providence « afin de revenir en tête du développement économique et social en Europe »[2], cette tâche sera poursuivie par Angela

---

1. METZLER, Gabriele, *Der deutsche Sozialstaat. Vom bismarckschen Erfolgsmodell zum Pflegefall* (L'État providence allemand. De la réussite du modèle bismarckien à l'état de crise), Stuttgart, DVA, 2003, p. 14 et 229.
2. Déclaration gouvernementale du chancelier fédéral, Gerhard Schröder, prononcé devant le parlement fédéral, le 14 mars 2003…, *op. cit.*, p. 1.

Merkel en affectant une part des recettes provenant de l'augmentation du taux de la TVA au 1er janvier 2007 à la réduction des charges sociales pesant sur les salaires. Si le gouvernement Schröder s'est prioritairement préoccupé de l'amélioration de l'intégration des chômeurs sur le marché du travail, tandis que la politique du gouvernement Merkel s'est plutôt penchée sur le financement des systèmes sociaux et de la politique familiale, l'ensemble de ces réformes constitue un tout. Des réformes de l'*Agenda 2010*, dont l'entrée en vigueur a été étalée dans le temps à partir du 1er janvier 2003, plusieurs points saillants se dégagent. Dans le cadre du financement de la protection sociale, il est fait davantage appel à l'individu, qu'il soit patient ou retraité, sous forme de contribution ou de diminution de prestations. En matière de santé par exemple, la hausse des cotisations qui pèse sur les salaires doit être enrayée par une ponction financière des assurés qui assument 80 % des économies, notamment par l'introduction du ticket modérateur, du versement d'une redevance forfaitaire de 10 euros par trimestre lors de la première visite chez le médecin, et d'une réduction du nombre des prestations remboursées, les soins dentaires étant exclus du système général. Concernant les retraites, outre le gel de leur niveau en 2004-2005, l'introduction d'un « facteur de durabilité » établissant une relation entre le nombre de retraités et celui des cotisants doit conduire à une réduction de la retraite nette avant impôts de 53 % du revenu à 43 %, plusieurs calculs établissant une perte moyenne de pouvoir d'achat pour les retraités de 20 %. Au sujet de la réforme du marché du travail, la priorité va à la dérégulation et à l'installation d'un secteur d'emplois à petits revenus. Cela passe notamment par la diminution de la protection contre les licenciements pour les petites et moyennes entreprises de moins de 10 salariés, la création de « S.A. individuelles » visant à favoriser l'éclosion d'une nouvelle forme d'indépendance et à subventionner l'activité de chômeurs se mettant à leur compte, la multiplication de mini-jobs non imposés jusqu'à hauteur de 400 euros (en complément d'un emploi assujetti aux cotisations sociales) ainsi que par la simplification et la baisse des allocations-chômage. C'est cette dernière mesure qui va cristalliser le mécontentement. Après la durée légale d'indemnisation passée de 26 à 12 mois pour les moins de 55 ans et de 32 à 18 mois pour les 55 ans et plus, un revenu standard ne prenant plus en compte le revenu individuel précédent est instauré. Pour les chômeurs en fin de droits et les allocataires de l'aide sociale, une fusion de l'allocation-chômage et de l'aide sociale est mise en place, correspondant à la perception d'un montant de base de 345 euros pour une personne seule, auquel s'ajoute la prise en charge du loyer et du chauffage. Le versement de l'allocation est subordonné aux ressources du conjoint ou de la famille et aux revenus du patrimoine mobilier ou immobilier. Le montant moyen perçu par foyer est de 850 euros. Les bénéficiaires de l'allocation ont le droit d'exercer une activité annexe dont ils conservent un pourcentage du revenu. Les chômeurs de longue durée doivent accepter des emplois rémunérés jusqu'à 30 % au-dessous du salaire moyen pratiqué dans la région pour un emploi équivalent. Si l'allocataire refuse d'exercer une activité professionnelle jugée « acceptable », la prestation peut être réduite de 30 %. Face à ceux qui déplorent « les coupes sociales » et le « moins d'État », Gerhard Schröder choisit de mettre en avant le « mieux d'État » en investissant davantage dans l'éducation et la recherche, jugeant « scandaleux qu'en Allemagne la chance de fréquenter le lycée soit six à dix fois plus élevée pour une jeune des couches favorisées que pour un jeune issu d'un milieu ouvrier »[1]. De 1998 à 2005, la part de

---

1. Déclaration gouvernementale du chancelier fédéral, Gerhard Schröder, prononcée devant le parlement fédéral, le 14 mars 2003, *op. cit.*, p. 17.

recherche et développement dans le PIB est effectivement passée de 2,2 à 2,5 % avec un objectif de 3 % ; le pourcentage d'une génération faisant des études supérieures est passé de 28 à 36 %, avec un objectif de 40 % ; l'enseignement primaire s'est engagé sur la voie de la rénovation avec la création des « écoles toute la journée », censées être à la pointe du renouveau pédagogique grâce à un nouveau rythme scolaire. Par l'ensemble de ces réformes, Gerhard Schröder a non seulement modifié les repères traditionnels de la social-démocratie (voir au chapitre II : « Une social-démocratie en crise ») mais il a aussi, tardivement certes, jeté les bases d'une rénovation du modèle social allemand.

Le chemin ayant été ouvert, Angela Merkel a poursuivi, avec son approche propre, l'adaptation du modèle social allemand. La chancelière rend d'ailleurs régulièrement hommage à l'*Agenda 2010*. Le 30 mai 2009, dans les colonnes du *Spiegel* elle a même revendiqué une partie de la paternité : « L'*Agenda 2010* du gouvernement Schröder n'a été possible que parce qu'il a été approuvé par la majorité du conseil fédéral détenue par la CDU/CSU. La grande coalition a, depuis 2005, poursuivi sur cette voie en engageant d'autres réformes. » Le gouvernement Merkel a à la fois complété et amendé certaines réformes de son prédécesseur comme les dispositions concernant le marché du travail ou la retraite et ouvert d'autres chantiers comme la politique familiale. Concernant la réforme du marché du travail, trois corrections ont été apportées : la part du revenu issu de l'activité annexe que le bénéficiaire de l'allocation-chômage forfaitaire est en droit de conserver a été portée de 10 à 20 % ; la durée de versement de l'allocation-chômage, sous la pression des sociaux-démocrates, est passée pour les salariés de plus de 58 ans à 24 mois (au lieu de 18) et pour ceux de plus de 50 ans à 15 mois (au lieu de 12) ; le seuil des mini-jobs a été placé à 800 euros (avec un échelonnement progressif des taux de cotisations au-delà de 400 euros); la cotisation sociale versée à l'assurance chômage est passée de 4,2 à 3,3 %, puis à 3 % au 1ᵉʳ janvier 2009. Autre secteur où la politique de réforme fut poursuivie : le secteur de la santé dont les dépenses représentent 11 % du PIB allemand, le troisième plus haut niveau au monde, en dépit d'une participation croissante des malades aux frais. Un « fonds santé » a été créé au 1ᵉʳ janvier 2009 que les Allemands alimentent selon le niveau de leur revenu. Ce fonds, par lequel transitent les cotisations versées par les salariés et les employeurs, doit calculer selon une formule prenant en compte l'âge, le sexe et l'état de santé, les sommes qui seront transférées aux caisses de l'assurance-maladie publique qui pourront, si nécessaire, demander une prime supplémentaire à leurs assurés. Des recettes fiscales viendront également alimenter le fonds pour prendre notamment en charge la couverture maladie des enfants. Au sujet des retraites, deux attitudes ont prévalu. D'une part, le gouvernement Merkel a décidé de porter l'âge légal du départ à la retraite de 65 à 67 ans, avec une mise en place par étapes à partir de 2012 et jusqu'en 2029. D'autre part, il est partiellement revenu sur la réforme Schröder en suspendant l'application de la disposition visant à modérer l'augmentation des retraites. Ce mécanisme prévoyait un écart de 0,6 % entre la hausse des salaires et celle des retraites. Si les salaires augmentaient de moins de 0,6 %, les retraites n'étaient pas revalorisées – ce qui est arrivé plusieurs années de suite. Du fait de cette modification, il sera sans doute impossible de réduire la cotisation aux caisses de retraite à 19,1 % d'ici à 2012, comme initialement prévu. Cette correction d'où les considérations politiques ne sont pas absentes (voir chapitre II : « l'union chrétienne-démocrate entre nouvel interventionnisme et libéralisme ») a lieu alors que le revenu moyen des retraités s'est accru de 15 % ces dix dernières années, contre seulement

5 % pour les salariés. Le revenu des retraités atteint désormais en moyenne 88 % de celui des actifs. Sous Angela Merkel, les retraités bénéficient incontestablement de mesures favorables. Ils sont, avec les familles, les cibles privilégiées. Pour des raisons historiques et culturelles, l'Allemagne n'a pas engagé, après la Seconde Guerre mondiale, de politique familiale volontariste, estimant que le souhait d'avoir des enfants ou non relevait de la seule décision des parents. Ce retrait de l'État de la sphère familiale a fini par produire un système à contre-courant de la plupart des pays européens, où seules les mères prenaient en charge les enfants, se privant ainsi de la possibilité d'embrasser une carrière. Le vieillissement accéléré de la société ajouté à la volonté de reconsidérer la place des femmes en Allemagne et d'inviter les pères à s'investir davantage dans l'éducation de leurs enfants a incité le gouvernement Merkel, sous l'égide de la ministre de la Famille, Ursula von der Leyen (elle-même gynécologue et mère de sept enfants), à accorder à la politique familiale une place plus importante que par le passé et à prendre des mesures permettant aux mères de concilier une activité professionnelle et la charge des enfants. En effet, certains chiffres parlent d'eux-mêmes : 40 % des femmes diplômées de l'enseignement supérieur âgées de plus de 40 ans n'ont pas d'enfants ; dans 52 % des couples allemands ayant des enfants en dessous de 6 ans, la femme reste au foyer (contre seulement 38 % en France et 24 % en Suède). La mesure phare de la nouvelle politique familiale est la réforme de l'allocation et du congé familiaux. Pour les parents dont les enfants sont nés à partir du 1er janvier 2007, le congé parental est créé. Le niveau de cette prestation qui se substitue à l'ancienne allocation dépend des revenus des parents mais elle est plus généreuse que l'allocation éducation attribuée auparavant. Versée pendant 12 mois après la naissance de l'enfant, l'allocation atteint au moins 300 euros par mois même si les parents ne

percevaient, avant la naissance de l'enfant, aucun revenu de leur travail. Si le parent qui s'occupe de l'enfant renonce à son emploi pour s'occuper du bébé, l'allocation se monte à 67 % du revenu mensuel net avec un montant maximal de 1 800 euros. L'allocation est compatible avec un emploi à temps partiel ne dépassant pas 30 heures par semaine. Sachant qu'habituellement c'est la mère qui accepte de se retirer de son emploi pour s'occuper du nouveau-né, la ministre de la Famille a instauré le versement de deux mensualités supplémentaires si le père de l'enfant accepte de s'en occuper à son tour pendant ce laps de temps. C'est un moyen de rompre avec la conception traditionnelle de la famille. Cette mesure est complétée par la mise en œuvre d'une politique à l'égard de la petite enfance visant à améliorer la prise en charge des enfants de moins de 3 ans, domaine où l'Allemagne, notamment à l'Ouest, est en retard. 8 % des enfants de moins de 3 ans en Allemagne occidentale peuvent bénéficier d'une prise en charge hors du foyer familial contre 40 % à l'Est., soit un taux national de seulement 13,5 % que le gouvernement Merkel souhaite porter à 35 % en 2013. Il est ainsi prévu de créer 750 000 places supplémentaires dans les crèches et garderies d'ici à 2013, pour un coût total estimé à 12 milliards d'euros dont 4 pour l'État fédéral. Pour cette dernière réforme qui a bousculé bien des certitudes au sein de l'union chrétienne-démocrate (voir au chapitre II : « L'union chrétienne-démocrate entre nouvel interventionnisme et libéralisme »), Angela Merkel a fait preuve d'un vrai courage politique. Elle a aussi tenu compte de son expérience d'Allemande de l'Est qui a grandi dans un pays réputé pour son réseau de crèches, aussi critiqué pour son aspect « encadrement idéologique ». En ce sens, c'est également un signe de reconnaissance à l'égard de l'Allemagne orientale et de ce que certains considèrent toujours comme l'une de ses conquêtes sociales.

L'UNIFICATION INACHEVÉE

À lire le *Rapport annuel du gouvernement fédéral sur l'unité allemande* qui indique régulièrement, sous une forme ou sous une autre, que les « deux décennies passées ont été liées pour beaucoup de gens à de profondes transformations » et que « si un niveau de prospérité sans précédent a été atteint », « le principal défi demeure la reconstruction économique »[1], on pressent l'ampleur de la tâche. À l'heure actuelle, les six Länder de l'Est ne représentent que 15 % du PIB allemand mais 20 % de la population. À titre de comparaison, ils représentaient, en 1991, 11 % du PIB allemand et 22 % de la population. La « mise à niveau » ne s'effectue donc qu'à très petits pas, ce que certains signes, au-delà des données macroéconomiques, ne peuvent cacher. Ainsi, les Länder orientaux ne sont pas parvenus à attirer les grandes entreprises puisque sur les 500 plus grandes, seules 19 sont à l'Est (dont 13 à Berlin). Ce faible tissu de grandes entreprises a, par exemple, une incidence sur les dépenses en matière de recherche et développement : à l'Est, elles atteignent 275 euros par actif contre 1 100 à l'Ouest. Seuls Dresde et son environnement immédiat jouent en terme d'innovation un rôle proche de celui rempli par Munich ou Stuttgart. Plus de 20 ans après l'unification, un constat s'impose : en dépit des 1 850 milliards d'euros de transferts financiers publics de l'Ouest vers l'Est depuis 1991, la coupure économique persiste entre les deux parties de l'Allemagne. Si le rattrapage s'effectue, il est beaucoup plus lent que prévu, même si l'on fait abstraction des attentes et calculs utopiques qui avaient cours en 1990, tant par exemple à la CDU, où Kurt Biedenkopf, son secrétaire général de l'époque, économiste, évoquait dans un document interne du 7 février 1990 une

---

1. *Jahresbericht der Bundesregierung zum Stand der deutschen Einheit…* 2008, *op. cit.*, p. 1.

durée de convalescence de l'économie est-allemande « d'un ou deux ans du fait des conditions particulièrement favorables qu'offre le rapprochement de l'économie est-allemande avec celle de la République fédérale »[1] et qu'un rapport du ministère fédéral du Travail de juin 1990 misait sur une évolution rapide, partant du principe qu'un « un second miracle économique est possible sur le sol allemand »[2]. C'est donc une épreuve pour le modèle économique et social né en République fédérale dont on pensait que son transfert à l'Est permettrait de relever dans un temps assez court les défis économiques et sociaux nés de l'unification. Le fait qu'en 2008 pour la première fois un Land de l'Est, la Thuringe, ait eu un taux de chômage inférieur à celui d'un Land de l'Ouest, Brème, (11,3 % pour le premier, 11,4 % pour le second !) peut certes faire penser à un début de « normalisation ». L'image générale est néanmoins autre. Experts et majorité « silencieuse » se demandent si l'économiste Udo Ludwig de l'institut de recherche économique de Halle n'a pas raison en affirmant que « l'Allemagne orientale rattrapera l'Allemagne occidentale en 2030 »[3]. En tout cas, la lenteur du processus de « mise à niveau » de l'Est ne cesse d'inquiéter les dirigeants politiques et économiques, même si officiellement on se félicite des avancées réalisées, par exemple dans le développement de l'infrastructure, le redémarrage de l'industrie devenue compétitive et dans la création de grands pôles de compétitivité qui sont devenus des références en Europe, comme la « région high-tech » à Dresde, « le pôle énergies renouvelables » du Brandebourg ou le développement des

---

1. Archives de politique chrétienne-démocrate de la Fondation Adenauer, Saint-Augustin, 72/1-1990, p. 15.
2. *Zur wirtschaftlichen Situation der DDR* (La Situation économique d'Allemagne de l'Est), ministère fédéral du Travail, Bonn, 1990, p. 12.
3. *Allgemeine FAZ.Net*, 13 juillet 2009.

techniques d'énergie solaire en Thuringe, l'Allemagne orientale produisant à elle seule 40 % de l'énergie éolienne allemande. Ces réussites ne doivent pas occulter le problème central du retard persistant des nouveaux Länder. Dans l'évaluation de la situation économique et sociale de l'Allemagne orientale, il faut toujours garder à l'esprit le choc culturel qu'a pu représenter l'unification avec le passage d'une économie planifiée à une économie de marché et l'introduction brutale d'un nouveau système économique dont il a fallu sans transition faire l'apprentissage. Il est juste de dire comme le ministre-président du Brandebourg, Matthias Platzeck, que les Allemands de l'Est ont fait preuve d'une « grande disposition au changement »[1]. Dans le retard économique observé encore aujourd'hui, il y a aussi une dimension culturelle (le rapport à l'argent, à la concurrence...) qui persiste. Gerhard Ritter souligne dans son étude *Le Prix de l'unité allemande* que « le changement structurel politique et économique a engendré pour la plupart des citoyens des nouveaux Länder un bouleversement profond des modes de vie, la perte de sécurité et la nécessité de trouver une place dans un monde radicalement différent dont ils devaient apprendre les règles complexes », malaise renforcé par le fait que le système social ouest-allemand fut transféré à l'Est sans grand aménagement – si ce n'est à la marge, par exemple dans le domaine de la santé avec le maintien des policliniques et de la médecine ambulatoire –, avec pour conséquence que « le débat engagé avant 1990 sur une possible réforme de l'État providence pour mieux appréhender le vieillissement de la population, l'explosion des dépenses de santé, le changement de la structure familiale, les mutations du monde du travail, la concurrence accrue au niveau international pour obtenir capitaux et sites de

---

1. PLATZECK, Matthias, *Zukunft braucht Herkunft...*, *op. cit.*, p. 201.

production est passé au second plan »[1]. C'est aussi avec cet arrière-plan qu'il faut comprendre la lenteur du processus de rattrapage de l'économie est-allemande qui n'est donc pas un simple facteur macroéconomique. Le retard peut se mesurer à travers l'évolution de la croissance dans les nouveaux Länder. Après des taux de croissance élevés au début des 1990, jusqu'à 11,9 % en 1993, un décrochage à la fin des années 1990 et au début des années 2000, puis une légère avance de 2002 à 2003, l'économie est-allemande connaît depuis 2005 un taux de croissance inférieur à celui de la partie occidentale, situation qui retarde d'autant plus « la mise à niveau » de la partie orientale de l'Allemagne (tableau 4). Alors qu'entre 1992 et 1999, le PIB a augmenté de 11,2 % à l'Ouest mais de 37,4 % à l'Est, depuis 2000, il a progressé de 13,4 % à l'Ouest et de seulement 9,8 % à l'Est.

Tableau 4 : Taux de croissance en Allemagne occidentale et Allemagne orientale (en %)

	2002	2003	2004	2005	2006	2007	2008
Est	1,2	0,7	1,3	0,1	2,2	2,2	1,1
Ouest	- 0,1	- 0,3	1,2	0,9	3,0	2,5	1,3

Source : Rapport annuel du gouvernement fédéral sur l'unité allemande, 2 008 et Institut de recherche économique de Halle, 2009.

Comparée à celle d'autres anciens pays de l'Est qui n'ont pas connu d'injections financières comparables, la croissance est-allemande apparaît également faible, inférieure en moyenne de deux à trois points (tableau 5).

---

1. RITTER, Gerhard, *Der Preis der deutschen Einheit. Die Wiedervereinigung und die Krise des Sozialstaates* (Le Prix de l'unité allemande. La réunification et la crise de l'État providence), München, Beck, 2007, p. 392 et 298.

**Tableau 5 : Taux de croissance en Allemagne orientale
et dans les pays d'Europe centrale (en %)**

	2005	2006	2007
Allemagne orientale	0,2	2,2	2,2
Hongrie	4,1	3,9	1,3
Pologne	3,6	6,1	6,5
République tchèque	6,5	6,1	6,5
Slovaquie	6,0	8,3	10,4
Slovénie	4,0	5,2	6,1

Source : Eurostat, 2009

L'une des plus grandes difficultés de l'économie est-alle-mande réside dans le rapport « faussé » entre la courbe de la productivité et celle du coût du travail. En tenant compte de la différence du coût de la vie entre l'Est et l'Ouest, il est établi que le salaire réel moyen et le revenu réel moyen des Allemands de l'Est équivalent respectivement à 92 % et à 82 % de celui des Allemands de l'Ouest. La signature d'un accord entre le ministre fédéral de l'Intérieur et le syndicat des services Verdi a permis un rattrapage salarial des fonctionnaires de l'Est à hauteur de 97 % du salaire occidental (contre 60 % en 1991). En revanche, la productivité globale n'atteint que 77 % du niveau de l'Ouest. Dans une étude sur *Les Perspectives de l'Allemagne de l'Est*, les analystes de la Deutsche Bank partent même du principe qu'avec la persistance à la fois du faible niveau de croissance et du déclin démographique, le taux de PIB par personne en âge de travailler pourrait atteindre 60 % en 2020 et retomber à 59 % en 2050[1]. Cette perspective peut être corroborée par l'étude sur une longue période de la productivité par actif. Comme pour la croissance, l'Allemagne

---

1. *Die Perspektiven Ostdeutschlands* (Les Perspectives de l'Allemagne de l'Est), Deutsche Bank Research, Frankfurt am Main, 2007.

orientale présente une avance dans la progression de la productivité jusqu'en 2005, avant de prendre du retard à partir de l'année suivante (tableau 6).

Tableau 6 : Progression du PIB réel par actif
(en % par rapport à l'année précédente)

	1997	1998	1999	2000	2001	2002	2003	2004	2005	2006	2007
Allemagne occidentale	1,7	0,8	0,4	1,1	0,5	0,2	0,6	0,7	0,8	2,4	0,9
Allemagne orientale	3,2	0,5	2,6	2,4	2,6	2,8	1,9	1,2	1,1	1,6	0,7

Source : Rapport du gouvernement fédéral sur l'unité allemande, 2 008.

Autre différence majeure avec l'économie ouest-allemande : l'économie est-allemande peine à exporter tant les marchandises que les services. Tout en représentant 20 % de la population allemande, la part des Länder de l'Est dans les exportations allemandes n'est que de 5 %. Alors qu'à l'Ouest 177 salariés sur 1 000 travaillent à l'exportation, ce quota n'atteint que 125 à l'Est. Dans les Länder de l'Est, le pourcentage moyen du chiffre d'affaires de l'industrie réalisé sur les marchés étrangers correspond à 23 % du chiffre d'affaire global, chiffre très inférieur à la moyenne des 40 % des Länder de l'Ouest. Si l'on considère le secteur de l'industrie de transformation qui décolle à l'Est depuis 2000, avec une augmentation depuis cette date de la production de 60 % dans l'électronique, 40 % dans la chimie et 43 % dans le travail du bois, la part du chiffre d'affaire réalisé à l'export dans le chiffre d'affaires global n'atteint que 33 % contre 47 % à l'Ouest. Le faible niveau d'investissement constitue également un handicap important de l'économie est-allemande qui l'empêche de « rattraper » l'Ouest. Si en 1995, le taux d'investissement par habitant en âge de travailler correspondait à 145 % de celui de l'Ouest, il n'est plus aujourd'hui que de 64 %. Dans l'industrie, les investissements en machines qui atteignaient 102 % du niveau recensé à l'Ouest en 1995 sont tombés à 83 %. Les investissements publics ne peuvent pas prendre la relève, car l'endettement des collectivités territoriales ne le permet pas. En effet, en dépit d'un recul récent de l'endettement dans certains Länder de l'Est, par exemple en Saxe où d'énormes efforts ont été accomplis, le taux d'endettement des nouveaux Länder atteint encore 37 % de leur PIB, soit 12 points de plus qu'à l'Ouest, ce qui limite la marge d'action des pouvoirs publics de ces régions. Il faut savoir qu'entre 1991 et 2005, l'endettement par habitant dans les nouveaux Länder avait augmenté en moyenne de... 1 700 % contre 51 % à l'Ouest. Depuis 2006, la priorité est au désendettement, avec bien sûr des incidences sur l'investissement public. De 1990 à 2006, le volume des investissements publics a reculé d'un tiers. À titre d'exemple, le taux d'investissement en Thuringe et dans le Brandebourg est passé pendant cette période de 31 à 19 % et de 28 à 18 %. La réduction de 3,7 milliards d'euros du volume des fonds structurels européens destinés aux nouveaux Länder pendant la période 2007-2013 aura aussi des incidences dans ce domaine. En effet, plusieurs régions ne remplissent plus les critères qui permettent d'accéder à « l'objectif 1 » réservé aux régions les plus défavorisées.

Le corollaire immédiat du clivage Est/Ouest est le chômage persistant dans les nouveaux Länder. Après avoir atteint officiellement les niveaux élevés de 19 % de la population active en 1998 et 1999 et de 17 % en 2005, le taux de chômage est retombé à 12 % fin 2008 et est de nouveau à 14 % en 2009, pour « seulement » 7 % à l'Ouest et 8,5 % pour l'ensemble de l'Allemagne. Là encore, le différentiel avec l'Ouest est important, du simple au double selon les années (tableau 7). Les Allemands de l'Est représentent 20 % de la population allemande mais 34 % des chômeurs. Dans deux Länder de l'Est, le Mecklembourg-Poméranie et la Saxe-Anhalt, le taux de chômage avoisine 18 % dans certains endroits. 44 % des chômeurs de l'Est sont des chômeurs de longue durée contre 34 % à l'Ouest. Il n'est donc pas étonnant que les principaux mouvements de protestations contre la réforme de l'assurance chômage se soient déroulés à l'Est (voir précédemment le sous-chapitre : « Une nouvelle réalité sociale »).

Tableau 7 : Taux de chômage en Allemagne orientale et en Allemagne occidentale (en % de la population active)

	1992	1994	1996	1998	2000	2005	2006	2008	2009
Est	14,8	16	16,7	19,5	18,8	18,8	17,6	11,8	14,2
Ouest	6,2	9,2	10,1	10,5	8,7	9,9	9,5	6	7,1

Source : Office fédéral de la statistique, 2002 et 2009.

Cumulé avec le haut niveau de chômage, c'est aussi en Allemagne orientale que l'on trouve le taux de pauvreté le plus élevé, le lien entre les deux étant manifeste. Ainsi le fossé existant entre les parties orientale et occidentale de l'Allemagne dessine une géographie économique et sociale qui se superpose à la traditionnelle opposition Nord/Sud. On constate la persistance et la prééminence d'un sud ouest-allemand à faible taux de chômage (entre 4 et 5 %) et un taux de pauvreté moins élevé que la moyenne face à une partie du Nord de l'Allemagne comme Brème et l'Allemagne orientale avec dans les deux cas un taux de chômage et de pauvreté important. De même, on constate qu'à l'Ouest certaines régions comme la Ruhr ou le sud de la Basse-Saxe ont à certains endroits des taux de pauvreté proches de ceux relevés à l'Est, tandis que le nord de Hambourg, la ligne Rhin-Main et le sud de la Bavière sont très en dessous à la fois de la moyenne nationale et de la moyenne régionale. Ce sont également les Länder du sud, Bavière, Bade-Wurtemberg et Hesse, qui ont l'endettement le plus faible et donc les marges d'intervention publique les plus larges. Ce sont aussi ces Länder « vertueux » qui participent le plus au système de péréquation financière (tableau 8), un des fondements du fédéralisme allemand, qui fonctionne sous forme de transferts des Länder les plus riches vers les Länder les plus pauvres avec pour objectif de corriger les inégalités de potentiel fiscal au regard des besoins à satisfaire et de créer avec l'aide de l'État fédéral, qui peut verser des subventions complémentaires à certains Länder, un équilibre dans l'aménagement du territoire.

Tableau 8 : Les Länder de l'Ouest et de l'Est

	Taux de chômage (en %)	Taux de pauvreté (en %)	Endettement (euros/ habitant)	Péréquation financière versements (-) /encaissements (+) (en millions d'euros)
Schleswig-Holstein	7,6	12,5	7 772	+178
Hambourg	8,1	14,1	12 282	- 375
Basse-Saxe	7,7	15,5	6 191	+ 323
Brème	11,4	19,1	21 577	+ 507
Rhénanie-du-N.-Westphalie	8,5	14,6	6 335	+ 50
Hesse	6,6	12	4937	-2489
Rhénanie-Palatinat	5,6	13,5	6 348	+ 377
Bade-Wurtemberg	4,1	10	3 381	- 2 521
Bavière	4,2	11	1821	-2938
Sarre	7,3	16,8	8 795	+ 117
Berlin	13,9	17,5	16 634	+ 3 154
Brandebourg	13	17,5	6 798	+ 627
Mecklembourg-Poméranie	14,1	24,3	5 971	+ 545
Saxe	12,8	19,6	2 613	+ 1 170
Saxe-Anhalt	14	21,5	8 269	+ 632
Thuringe	11,3	18,	6 826	+ 643

Source : Office fédéral de la statistique/Banque régionale de données, 2009, Atlas de la pauvreté, 2009 et ministère fédéral des Finances, 2009.

Par manque de perspectives et peur du chômage, de plus en plus de personnes en âge de travailler et de jeunes quittent l'Allemagne orientale, dès lors confrontée à un déclin démographique qui fait craindre dans certaines régions une désertification de grande ampleur. Tandis que certaines villes et leur environnement deviennent de vrais pôles d'attractivité comme Dresde, Leipzig, Potsdam et Berlin, d'autres endroits sont laissés quasiment à l'abandon. Depuis 1990, un véritable bouleversement démographique interne à l'Allemagne s'est opéré : la partie occidentale a gagné 4 millions d'habitants, dont presque un tiers en provenance d'Allemagne orientale qui en a perdu 1,7 million. En terme de solde migratoire, l'Allemagne orientale continue à « perdre » depuis 2002 50 000 habitants par an.

Tableau 9 : Évolution démographique des nouveaux Länder (en millions d'habitants et en %)

	1990	2009	évolution en %
Allemagne occidentale	61,5	65,6	+ 6,7
Allemagne orientale (avec Berlin)	18,1	16,5	− 10
Allemagne orientale (sans Berlin)	14,7	13,1	- 12
Dont :			
Saxe-Anhalt	2,8	2,4	- 16,1
Mecklembourg-Poméranie	1,9	1,7	- 12
Saxe	4,7	4,2	- 12
Thuringe	2,6	2,3	-15
Brandebourg	2,58	2,5	- 3

Source : Institut de démographie de l'université Humboldt, 2009

Alors qu'en 1990, l'Allemagne orientale représentait 23 % de la population allemande (28 % en 1949), elle n'en représente plus que 20 % avec Berlin et 17 % sans. Les Länder les plus touchés par les départs sont ceux où les difficultés sont les plus importantes (tableau 9). Ainsi, la Saxe-Anhalt a perdu 16 % de sa population depuis 1990. D'ici 2020, l'Allemagne orientale pourrait encore perdre 1,5 million d'habitants, la Saxe-Anhalt poursuivant son déclin avec une perte de 14 %. La crise démographique n'épargne pas les grandes villes : Schwerin, capitale du Mecklembourg a perdu 23 % de sa population depuis 1990, Halle, 20 %, Rostock 20 %, Magdeburg, capitale de Saxe-Anhalt, 18 %.

Une grande partie des départs concerne les jeunes et les personnes diplômées entre 20 et 40 ans. 51 % des migrants ont entre 18 et 30 ans. Une étude concernant la Saxe indique que 37 % des migrants sont diplômés de l'enseignement supérieur, contre 17 % pour l'ensemble de la population saxonne. L'Est perd ainsi son « élite », ce qui risque d'accentuer la paupérisation, sachant qu'aujourd'hui déjà un enfant sur quatre d'Allemagne orientale vit dans une famille dont le revenu se compose d'aides publiques. Dans certains endroits, cela concerne même un enfant sur deux, avec ce que cela peut entraîner comme conséquence dans le rapport à la société et au monde du travail. Le retournement de situation démographique depuis l'unification est aussi d'un point de vue psychologique vécu comme une hémorragie de l'Est : la partie de l'Allemagne qui était en 1989-1990 la plus jeune se retrouve avec la moyenne d'âge la plus élevée, soit 43 ans contre 41 à l'Ouest, alors qu'en 1990 elle était respectivement de 38 à l'Est et 40,5 à l'Ouest. Cette structure de migration provoque une accélération du vieillissement de la population est-allemande : alors qu'en 1991 19,8 % de la population est-allemande avait un âge inférieur à 15 ans, ce taux n'atteint plus que 11,8 % contre 15,7 % à l'Ouest. En revanche, le pourcentage de personnes de plus de 64 ans est passé de 13 % à 19 % contre 18 % à l'Ouest. Ce vieillissement pourrait également signifier pour l'Allemagne orientale à partir de 2015-2020 un deuxième choc démographique : en effet, la population en âge de procréer ayant quitté cette partie de l'Allemagne, il n'y aurait pratiquement plus aucune relève démographique. Cette évolution a bien sûr de nombreuses incidences sur l'aménagement du territoire, l'urbanisme, l'organisation des transports, la prise en charge des personnes âgées et le système éducatif. Selon la conférence des ministres de l'Éducation, le nombre d'élèves de l'enseignement primaire et secondaire devrait ainsi diminuer d'un million en 15 ans.

Face aux nombreux défis que doit relever l'Allemagne orientale, une question hante les esprits : l'apport financier spécifique de l'Ouest garanti jusqu'en 2019 à travers le « pacte de solidarité II » sera-t-il suffisant ou faut-il – sans l'avouer, car le sujet est tabou – déjà songer à un « pacte de solidarité III » ? Le débat serait sûrement vif sachant que déjà actuellement le financement de la reconstruction à l'Est est source de controverses tant sur le volume des sommes engagées que sur son utilisation. Depuis 1991, 1850 milliards d'euros bruts d'argent public ont été attribués aux nouveaux Länder, sous forme de transfert. Après perception et donc déduction des recettes fiscales issues de cette partie de l'Allemagne, soit en moyenne 35 milliards d'euros par an, le volume des transferts nets s'élève à 1 255 milliards d'euros. Ces transferts nets correspondent à 4 % du PIB ouest-allemand mais à 32 % du PIB est-allemand, ce qui fait de ces sommes la condition de la survie économique de l'Est. Plusieurs estimations considèrent que si ces versements sont interrompus comme prévu en 2019, les budgets des gouvernements régionaux des nouveaux Länder seront amputés d'un quart. La majeure partie de ces transferts incombe à l'État fédéral qui en assume 71 %, la part de la sécurité sociale correspondant à 17 %, celle des Länder et des communes à 12 %. La clé de répartition entre les différents secteurs bénéficiant de ces transferts fait apparaître une prédominance des dépenses sociales, à hauteur de 45 % (dont l'indemnisation du chômage et des retraites) alors que seulement 22 % sont destinés aux investissements dans l'économie et les infrastructures. Le poids des dépenses sociales par rapport aux dépenses « actives » (recherche par exemple) est jugé trop important par de nombreux économistes. Dans une étude intitulée *Un miracle économique serait-il encore possible en Allemagne orientale ?*[1], plusieurs économistes et chefs d'entreprise constatent que deux tiers des transferts financiers sont consacrés à la consommation et que 47 % des Allemands de l'Est vivent principalement des transferts sociaux. Ils plaident en faveur d'une redistribution des transferts vers les investissements, condition première d'un vrai décollage de l'économie est-allemande. En outre, ils estiment que pour pouvoir renoncer à moyen terme aux transferts financiers de l'Ouest, l'Est devrait, sur plus de 10 ans, avoir un taux de croissance supérieur d'au moins trois points au niveau actuel, donnée encore bien éloignée de la réalité. Lors de leur première rencontre avec la chancelière Angela Merkel, le 24 février 2006, les ministres-présidents des Länder orientaux ont mis en avant le fait que le « rapprochement » des niveaux économiques entre l'Est et l'Ouest ne pourrait pas se réaliser avant 2030. C'est en faisant usage de cet argument qu'ils ont obtenu la signature d'un « pacte de solidarité II » couvrant la période 2005-2019 à la suite du « pacte de solidarité I » qui avait concerné les années 1993-2004 et représenté un transfert de 94,5 milliards d'euros. Ce pacte II est doté d'une enveloppe de 156 milliards d'euros, répartie en deux « corbeilles ». La première comporte 105 milliards d'euros répartis annuellement de manière dégressive dans le temps : de 10,5 milliards d'euros les premières années, le versement tombe à 1 milliard

---

1. *Doch noch ein Wirtschaftswunder in Ostdeutschland ?*, éd. par la Fondation Friedrich Ebert, avec les contributions de Horst Dietz, Hardo Kendshek, Ulrich Pfeiffer, Lucas Porsch et Harald Simons, 2e édition actualisée, Berlin, 2007.

en 2019, dernière année d'allocation. Cette partie de l'aide doit servir à compenser les faiblesses économiques et financières des communes est-allemandes et combler le retard des infrastructures par des investissements. La seconde corbeille dotée de 51 milliards d'euros est à la discrétion de l'État fédéral pour soutenir des investissements de grande ampleur (tableau 10).

Tableau 10 : Pacte de solidarité II (2005-2019) (en milliards d'euros)

	2005	06	07	08	09	10	11	12
Corbeille 1	10,5	10,5	10,4	10,2	9,5	8,7	8	7,3
Corbeille 2	5	5	5	5	4,6	4,2	3,9	3,5
	13	14	15	16	17	18	19	
Corbeille 1	6,5	5,8	5,1	4,3	3,6	2,8	2,1	
Corbeille 2	3,2	2,8	2,4	2,1	1,7	1,4	1	

Source : Ministère fédéral des Finances, 2009.

La gestion de ces sommes financières est régulièrement mise en cause par les médias et certains responsables politiques de l'Ouest, toutes tendances politiques confondues, qui en contestent le bien-fondé du moins dans la durée. Dans son édition du 12 juin 2009, le *Frankfurter Allgemeine Zeitung* a publié une tribune de Christian Geinitz dans laquelle l'auteur prévient que « les Länder de l'Est ne pourront jamais être indépendants économiquement en 2019 » et observe que « personne n'ose encore réclamer un troisième pacte de solidarité ». Le 3 juillet 2008, le même éditorialiste avait publié un article dans le même quotidien intitulé « La corne d'abondance pour l'Allemagne orientale » dans lequel il s'interrogeait sur l'efficacité d'une « politique d'arrosage sans discernement » en faveur de « puits sans fond », sachant que « sans les milliards transférés à l'Est pour les systèmes sociaux et la reconstruction, cette partie de l'Allemagne n'aurait pas survécu » et qu'« à l'âge de leur majorité, les nouveaux Länder ne sont toujours pas en mesure de voler de leurs propres ailes ». Ces observations provoquent de vives réactions à l'Est où l'on évoque « l'égoïsme » ou « l'incapacité à partager » de l'Ouest. Deux arguments sont mis en avant : d'une part, la gabegie relevée ici ou là témoignerait d'une mauvaise gestion générale (comme dans le cas du stade de Leipzig qui a coûté 116 millions d'euros pour une fréquentation très relative ou l'aéroport régional de Cochstedt, près de Magdeburg, inutilisé et en faillite, construit pour 40 millions d'euros en plein champ) ; d'autre part, ces transferts financiers pèseraient sur la situation économique et sur les finances publiques de l'Ouest, notamment des collectivités territoriales. Ces critiques sont relayées voire étayées par des essayistes et des économistes qui dénoncent l'installation à l'Est d'une mentalité d'éternel subventionné ou l'impact négatif sur l'économie ouest-allemande, notamment en terme budgétaire. Ainsi Uwe Müller relève dans un livre au titre choc *La Grande Catastrophe. L'unité allemande* que les aides versées souvent davantage pour des raisons politiques qu'économiques ont contribué à « cultiver une RDA en petit format » : « Peu importe que le vieil État de RDA ait sombré. Sa politique d'assistance vit toujours… Plus personne n'en a la maîtrise[1]. » Quant à l'économiste Peter Bofinger, il constate dans son ouvrage *Nous sommes meilleurs que ce que nous croyons* que « l'ampleur des transferts de l'Ouest vers les nouveaux Länder correspond à un volume supérieur au produit intérieur brut tchèque ou hongrois permettant d'améliorer sensiblement le niveau de vie des 16 millions d'Allemands de l'Est » mais que les conséquences sur l'économie allemande en général ont été longtemps sous-estimées, surtout en ce qui concerne l'endettement public et l'augmentation des charges sociales. Il en résulte que la situation en l'Allemagne de l'Est est devenue « un frein à la

---

1. MÜLLER, Uwe, *Supergau. Deutsche Einheit* (La Grande Catastrophe. L'unité allemande), Berlin, Rowohlt, 2006, p 139 et 141.

croissance »[1]. Gerhard Ritter déplore également que l'on n'ait pas saisi différentes propositions émanant tant de la CDU que du SPD et du ministère fédéral du Travail pour élargir la base de financement de l'unification en faisant participer l'ensemble des revenus et non les seuls salaires, amputés par l'augmentation des charges sociales : « Le transfert gigantesque de ressources économiques de l'Ouest vers l'Est, la récession de 1992-1993 ainsi que l'accroissement de la concurrence internationale ont augmenté le nombre de conflits potentiels et les coûts de l'unification... Il était absurde de faire glisser une partie importante des coûts de l'unification sur l'assurance chômage, l'assurance vieillesse, l'assurance accident et depuis 1999 l'assurance-maladie[2]. » En fait, ce qui est contesté, c'est le choix originel de financer l'unification non pas par l'impôt mais par les budgets de la sécurité sociale – 23 % des transferts publics ont été à la charge de l'assurance retraite et l'assurance-chômage – et donc par l'augmentation des charges sociales qui a fini par nuire à la compétitivité de l'économie allemande et fait exploser les budgets sociaux. Ce débat a redoublé de vigueur avec la crise de 2008-2009.

UNE ÉCONOMIE PLUS RÉGULÉE ?

Après plusieurs années d'ajustement liées aux réformes du modèle social (voir précédemment le sous-chapitre « La nouvelle réalité sociale »), à l'assainissement des entreprises et à la modération salariale, l'Allemagne a, à partir de 2006, effectué un retour parmi les économies gagnantes et joué de nouveau son rôle de « locomotive » en Europe. Plus que tout autre pays, l'Allemagne voit dans son économie un élément de puissance (voir au chapitre I : « La réflexion sur la notion de

---

1. BOFINGER, Peter, *Wir sind beseser als wir glauben* (Nous sommes meilleurs que ce que nous croyons), München, Pearson Studium, 2005, p. 55.
2. RITTER, Gerhard, *Der Preis der deutschen Einheit…, op. cit.*, p. 401 et 391.

puissance »): troisième puissance économique du monde, certes talonnée par la Chine depuis 2008, avec notamment un produit intérieur brut le plus élevé de l'Union européenne – dont elle représente 28 % de la création de richesses de la zone euro – la première place dans le commerce mondial, avec 9,2 % des exportations de biens et services, et quatrième puissance industrielle, sans oublier une position dominante dans plusieurs secteurs, à la fois traditionnels, comme la machine-outil où la production allemande représente 19,5 % du marché mondial, et novateurs, comme les énergies renouvelables où l'Allemagne est en pointe – premier exportateur d'éoliennes, par exemple. Dans d'autres secteurs clés, l'Allemagne sans être dominante occupe les premières places, comme dans l'automobile où elle est le quatrième fabricant mondial. La situation de l'économie européenne dépend en grande partie de l'état de santé de l'économie allemande qui peut jouer un rôle d'entraînement. Lors de la discussion sur les futurs plans de relance, le chef économiste du Fonds monétaire international (FMI), Olivier Blanchard, a ainsi pu observer : « Si l'Allemagne ne participait pas suffisamment à cette relance, beaucoup d'autres pays hésiteraient aussi à le faire et ce serait désastreux pour l'Europe[1]. » L'économie allemande est, elle aussi, touchée depuis la fin 2008 par la crise financière et économique. Dès la fin de 2008, le recul de l'activité s'est traduit par un faible taux de croissance pour l'ensemble de l'année de 1,3 % et une hausse du taux de chômage passé de 7,8 % fin 2008 à 8,6 % en 2009. Cette nouvelle situation a obligé dirigeants politiques, syndicalistes et chefs d'entreprise à revisiter certains préceptes, voire certains dogmes, du modèle économique allemand, notamment la place de l'État. Lorsque dans un discours prononcé le 26 novembre 2008, la chancelière Merkel annonce devant le

---

1. *Le Monde*, 24 décembre 2008.

parlement fédéral les effets inévitables de la crise financière, dont le recul de la croissance et l'augmentation des déficits publics, elle fait appel au souvenir de grands défis relevés collectivement dans l'histoire récente et insiste sur les bons résultats économiques obtenus : « Nous Allemands avons déjà dans le passé fait face à de grands défis : la reconstruction après la guerre, la remise à niveau des Länder de l'Est, les restructurations qui ont transformé des régions agricoles en lieux de production high-tech, le passage de 5 millions de chômeurs à 3 millions, chiffre encore trop élevé... le recul du coût du travail et un déficit proche de zéro. » Tout en recommandant une « politique de la mesure, du milieu et de la raison pratique », elle soutient l'intervention de l'État « là où l'économie nationale et l'ensemble de notre vie sociale sont en danger »[1], pratique jusqu'ici taboue, du moins au niveau de l'État fédéral. L'Allemagne, pour laquelle les exportations représentent 45 % du produit intérieur brut – contre par exemple 26 % pour la France –, certains secteurs clés comme la machine-outil exportant jusqu'à 77 % de leur production – voit de nouveau son modèle économique fragilisé : des pans entiers sont mis à l'épreuve comme les banques régionales, l'industrie automobile (qui représente un emploi sur sept) et l'industrie chimique. De grands noms comme Daimler ou BASF connaissent des difficultés, sans compter Opel qui a bénéficié d'une action de sauvetage (voir plus loin). Le tissu des 3,2 millions de petites et moyennes entreprises (contre 2 millions en France) employant 31 millions de salariés est autant touché que les grandes entreprises car autant dépendant de la demande mondiale. Des secteurs importants de l'économie sont les premiers à l'exportation et donc les plus

---

1. Discours de la chancelière fédérale, Angela Merkel, prononcé lors du débat budgétaire du parlement fédéral, le 26 novembre 2008, p. 1, http://www.bundes-kanzlerin.de/reden2008.

exposés : l'industrie automobile, l'industrie d'équipement, la métallurgie, l'industrie chimique, les services aux entreprises et la plasturgie. Une grande exposition aux évolutions des marchés extérieurs peut être une faiblesse en période de crise internationale. De même l'éclatement du système bancaire allemand, qui contrairement à ce qui s'est passé dans d'autres pays aux économies comparables, n'a pas été restructuré dans les années 1990, s'est vite révélé un handicap en période de crise financière. En effet, il a fallu attendre 2005 pour que les premières fusions et concentrations soient opérées, mais lentement, ce qui n'a pas beaucoup modifié la donne de départ. Comme l'ont montré Fabrice Pesin et Christophe Strassel dans leur ouvrage *Le Modèle allemand en question*[1], la difficulté provient surtout du fait que sur les 2 200 établissements de crédits allemands plus de 2 000 sont publics. Ces banques publiques se répartissent entre les caisses d'épargne dont le capital est détenu par les communes et les arrondissements et les banques régionales dont le capital est composé de participations du Land et de caisses d'épargne. Banques régionales et caisses d'épargne réalisent 40 % de l'activité des banques allemandes et se concentrent sur une clientèle de particuliers et de petites et moyennes entreprises et ne sont pas prédestinées à investir massivement sur les marchés financiers internationaux, de surcroît dans des produits à risque. C'est pourtant ce qu'ont fait les banques régionales, banque régionale bavaroise en tête. Jusqu'alors vanté pour sa solidité, le secteur bancaire allemand s'est révélé fragile. À la lumière de la crise, l'État fédéral essaie d'ailleurs de procéder à une restructuration du paysage bancaire, notamment en prônant un rapprochement des différentes banques régionales. Face à une interrogation lancinante sur la capacité de résistance du système écono-

---

1. PESIN, Fabrice/STRASSEL, Christophe, *Le Modèle allemand en question*, Paris, Économica, 2006.

mique allemand face à la crise, amplement relayée dans les médias à l'instar du *Spiegel* qui dans son édition du 15 décembre 2008 observe qu'il s'agit de « l'avenir du modèle allemand fondé sur une économie nationale davantage dépendante que d'autres de la mondialisation et jusqu'ici grande bénéficiaire de l'internationalisation des marchés ». L'objectif de l'Allemagne est de s'appuyer sur les acquis réalisés ces dernières années, par exemple en ce qui concerne le recul du déficit public permettant de retrouver des marges de manœuvre, pour mieux affronter la crise financière et économique, tout en réhabilitant le rôle de l'État dans la sphère économique – même de manière provisoire. Il redevient le garant des grands équilibres économiques et financiers.

L'Allemagne compte s'appuyer sur les marges retrouvées grâce aux bons résultats obtenus par son économie à partir de 2006, laissant derrière elle le malaise qu'avaient traduit toute une série d'études sur le déclin économique de l'Allemagne comme l'ouvrage de Gabort Steingart *L'Allemagne. La chute d'une superstar* qui relevait que « le géant économique allemand déclinait », saisi par l'immobilisme, alors que « l'Allemagne avait été dans un passé récent parmi les meilleurs »[1]. Ce retour de l'économie allemande se caractérise d'abord par un bon taux de croissance : celui-ci passe de 0,9 % en 2005 à 3 % en 2006 et 2,5 % en 2007 avant de retomber à 1,3 % en 2008, évolution d'ensemble qui marque une rupture avec l'apathie des années 2000. La comparaison avec la France laisse clairement apparaître le retard allemand avant 2005 et l'avance prise à partir de 2006 (tableau 11). Sur une plus longue période de 1995 à 2005, le retard de croissance accumulé par l'Allemagne est impressionnant : +14 % pour l'Alle-

---

1. STEINGART, Gabor, *Deutschland. Der Abstieg eines Superstars* (L'Allemagne. La chute d'une superstar), München, Piper, 2004, p. 49 et 58.

magne occidentale et 6,9 % pour l'Allemagne orientale contre 25,3 % pour la France et 33 % pour la Grande-Bretagne.

Tableau 11 : Taux de croissance en Allemagne et en France (en % par rapport à l'année précédente)

	2001	2002	2003	2004	2005	2006	2007	2008
Allemagne	1,4	0,0	- 0,2	1,2	0,8	3,0	2,5	1,3
France	2,1	1,1	1, 1	2,0	1,2	2,2	1,9	0,7

Source : Office fédéral de la statistique, 2009 et Insee, 2009.

Ce retour de la croissance allemande à partir de 2006 est la traduction de la compétitivité retrouvée de l'économie nationale due à plusieurs années de restructuration et de modération salariale dans la première partie des années 2000 conduisant même à ce qu'en 2006 le revenu net des salariés retombe à celui de 1986. Entre 2000 et 2006, les salaires réels ont augmenté en Allemagne de 1,1 % contre 7,7 % en France et 6,2 % dans l'Union européenne. Cette modération salariale a conduit à une baisse du coût du travail dont le haut niveau était régulièrement dénoncé par une partie des économistes allemands au milieu des années 2000, tel Hans-Werner Sinn qui dans son étude retentissante *Peut-on encore sauver l'Allemagne ?* exhortait son pays, « l'homme malade de l'Europe », à baisser le coût du travail en s'engageant dans une modération salariale : « Seules la retenue et la modestie dans les négociations salariales avec au moins comme objectif un ralentissement de l'augmentation des salaires réels permettront d'empêcher la délocalisation d'entreprises et la fuite de capitaux »[1]. Aujourd'hui, l'Allemagne est en meilleure situation dans ce domaine puisque avec un coût moyen d'une heure travaillée dans le secteur privé de 29 euros (contre 32 euros pour la France), elle n'arrive plus qu'en septième

---

1. SINN, Hans-Werner, *Ist Deutschland noch zu retten ?* (Peut-on encore sauver l'Allemagne?), München, Econ, 2004, p. 19 et 127.

position des pays de l'Union européenne alors qu'elle était en seconde place en 2002, situation qui s'est inversée en faveur de l'économie allemande. Si l'on compare l'évolution du coût d'une heure travaillée entre 2002 et 2009, on s'aperçoit qu'aujourd'hui sept pays devancent l'Allemagne contre un seul en 2002. Actuellement, le coût d'une heure travaillée en France dans le secteur privé correspond à 112 % de ce qu'il est en Allemagne, contre 74 % en 2002 (tableau 12). Ce retournement de tendance dans l'évolution du coût du travail a beaucoup contribué à la nouvelle attractivité de l'Allemagne qui peut, entre autres, se mesurer au fait que depuis 2007 le nombre de délocalisations industrielles recule : une entreprise sur onze choisit aujourd'hui de délocaliser une partie de sa production à l'étranger contre une sur huit en 2003. D'autres choisissent même de rapatrier leurs activités puisque 20 % des unités délocalisées en 2001-2002 ont été ramenées en Allemagne. L'analyse de l'évolution récente des investissements directs réalisés en Allemagne traduit également le regain d'attractivité du pays. Alors qu'entre 2007 et 2008, une partie des pays de l'Union européenne, notamment la France et la Grande-Bretagne, a vu, selon une étude du cabinet Ernst & Young[1], ses investissements directs reculer sur le sol national, l'Allemagne a bénéficié d'une augmentation de 28 % et d'un accroissement des emplois induits de 91 % (contre un recul de 11 % pour la France et de 16 % pour la Grande-Bretagne).

La stratégie de l'*outsourcing*, c'est-à-dire de fourniture en pièces et composantes dans des pays à bas coûts, conçue dès la fin des années 1990 mais mise en place de manière accélérée dans les années 2000, notamment à partir de l'élargissement de l'Union européenne à l'Est en 2004, a porté ses fruits. L'écart de prix étant en moyenne de 40 % entre des composants importés de pays avancés et les mêmes composants

---

1. *Deutschland holt bei Direktinvestitionen auf* (L'Allemagne regagne le terrain perdu dans le domaine des investissements directs), juin 2009.

Tableau 12 : Évolution du coût d'une heure travaillée dans le secteur privé entre 2002 et 2009 (Allemagne = 100)

	2002	2009
Norvège	108	122
Danemark	98	121
Suède	83	115
Luxembourg	75	112
France	74	110
Pays-Bas	86	101
Allemagne	100	100
Grande-Bretagne	76	96
Italie	63	85
Pologne	14	23

Source : OCDE 2003 et 2009

importés de pays à bas coûts, l'Allemagne a pu enchaîner les avantages compétitifs grâce à une Europe élargie, notamment dans le secteur des produits haute gamme. Combinée avec une politique salariale rigoureuse, cette stratégie a permis à l'économie allemande de bénéficier d'une compétitivité-coût favorable, particulièrement dans le secteur manufacturier où celle-ci s'est améliorée de 15 % depuis 2000 par rapport aux autres pays de la zone euro. Cette stratégie d'outsourcing est présentée par l'économiste Hans-Werner Sinn dans son étude *L'Économie de bazar* comme d'abord destructrice d'emplois, par le fait de la délocalisation de certaines branches de la production, puis, dans un deuxième temps, comme une contribution à « l'amélioration de la compétitivité des industries concernées »[1] par la localisation et le renforcement des activités de recherche et d'ingénierie en Allemagne. Une partie de la valeur ajoutée d'un produit est ainsi réalisée à l'étranger

---

1. SINN, Hans-Werner, *Die Basar-Ökonomie. Deutschland: Exportweltmeister oder Schlusslicht?* (L'Économie de bazar. L'Allemagne : champion mondial de l'exportation ou dernier de la classe?), Berlin, Ullstein, 2005, p. 101.

avant d'être « importée » en Allemagne pour la constitution du produit fini sous le label « made in Germany ». Entre 1996 et 2006, 51 % de la production industrielle a relevé de ce principe. Aujourd'hui, 40 % de la valeur des produits importés sont d'abord issus de pays où la main-d'œuvre est moins chère, notamment d'Europe centrale. Les principaux secteurs utilisant cette stratégie sont : l'électrotechnique, la machine-outil, l'automobile et la chimie. Outre cette stratégie de l'*outsourcing*, la spécialisation de l'économie allemande dans des biens d'équipement s'est révélée très bien adaptée aux orientations de la demande mondiale entre 2002 et 2008 et du boom généré par les énormes besoins des grandes économies émergentes, en particulier en Asie et en Amérique latine. L'Allemagne a ainsi consolidé voire accru ses positions parmi les leaders mondiaux dans de nombreux secteurs des « technologies d'application », tels que l'automobile, la machine-outil, l'environnement et la chimie, et développé sa capacité exportatrice sachant que machines et équipements de transport expliquent à eux seuls l'excédent commercial allemand. Sur les six dernières années, la balance commerciale allemande a réalisé un excédent cumulé de 931 milliards (à comparer à un déficit cumulé pour la France de 88 milliards d'euros !). Dans une étude intitulée *Performances à l'exportation de la France et de l'Allemagne*, le conseil d'analyse économique, organisme placé auprès du premier ministre français, a relevé qu'à partir du début des années 2000, l'Allemagne a gagné des parts de marché à la fois sur les biens et sur les services. Contrairement à une idée reçue, si la spécialisation sectorielle constitue un atout pour l'Allemagne, « le positionnement de gamme des produits exportés et les parts de marché pour les produits technologiques »[1] sont des éléments plus importants.

---

1. *Performances à l'exportation de la France et de l'Allemagne*. Rapport de Lionel Montagné et Guillaume Gaulier, conseil d'analyse économique, Paris, décembre 2008, p. 20.

L'Allemagne a de très bonnes performances à la fois dans la haute technologie et les produits haut de gamme (15 % de parts de marché pour l'Allemagne, contre 6 % pour la France), notamment sur le marché intra-européen. En ce qui concerne les services, l'Allemagne a aussi depuis 2000 gagné des parts de marché, passant de 6 % en 2000 à 7 % aujourd'hui, alors que la France est passée de 4,5 % à 3,5 %. L'Allemagne a progressé dans tous les secteurs, hormis l'informatique (tableau 13).

Tableau 13 : Parts de marché de la France et de l'Allemagne pour différentes catégories de services (en %)

	France		Allemagne	
	2000	2007	2000	2007
Communication	4,2	5,8	4,6	6,8
BTP	9,9	7,5	14,6	14,6
Assurance	5,4	1,4	2,3	5,6
Finance	1,5	0,7	4,1	4,4
Informatique	1,8	1,6	8,4	7,7
Redevances	2,9	4,6	3,7	4,3
Autres services aux Entreprises	5,7	3,9	7,2	8,2
Culture	7,8	5,9	1,9	2,6
Administration	1,4	1,4	8,5	9,7
Total autres services	4,4	3,0	6,2	6,5

Source : Performances à l'exportation de la France et de l'Allemagne, conseil d'analyse économique, décembre 2008.

La période du retour de l'économie allemande à partir de 2006 a été aussi celle de la consolidation de l'industrie face au secteur des services qui croît maintenant plus lentement, ce qui infirme la thèse d'une possible désindustrialisation évoquée il y a encore quelques années[1]. En Allemagne, l'indus-

---

1. SCHRÖDER, Wolfgang, *Das Modell Deutschland auf dem Prüfstand* (Le Modèle allemand à l'épreuve), Opladen, Westdeutscher Verlag, 2000.

trie (avec l'énergie) représente 26,5 % du produit intérieur brut, contre seulement 15 % en France et 16 % en Grande-Bretagne. Ce sont tout d'abord les « grosses PME » allemandes qui tirent l'industrie. L'Allemagne compte ainsi dans les industries de transformation 5 000 entreprises de plus de 250 salariés. L'industrie allemande s'est également montrée particulièrement innovante, participant ainsi à l'effort en faveur de la recherche et du développement lancé sous Gerhard Schröder et poursuivi, voire accentué sous Angela Merkel. Une forte implication de l'industrie dans le système de recherche confère à l'économie allemande une capacité d'innovation élevée. Les dépenses de recherche et développement atteignent 2,6 % du PIB en Allemagne contre 2,2 % en France. La différence avec la France est en partie due aux dépenses du secteur privé, principalement de l'industrie, qui assume 2/3 des dépenses nationales en Allemagne contre la moitié en France. Dans une note sur *La Politique d'innovation allemande*, la mission économique de l'ambassade de France en Allemagne observe : « Les performances en termes d'innovation contribuent de manière essentielle à la compétitivité très élevée de l'industrie allemande. Cette capacité à exploiter économiquement le produit des activités de recherche du pays se lit directement dans les performances à l'exportation de l'industrie allemande… La quasi-intégralité de l'excédent commercial allemand est réalisée dans les produits intensifs en recherche et développement, c'est-à-dire produits par des entreprises dépensant plus de 3,5 % de leur chiffre d'affaires en recherche et développement[1]. » L'Allemagne arrive en troisième position, derrière les États-Unis et le Japon, pour ce qui concerne le nombre de brevets internationaux déposés représentant 11 % de l'ensemble contre 4 % pour la France. Par crainte d'une érosion de cet avantage, le gouver-

---

1. *La Politique d'innovation allemande.* Ambassade de France en Allemagne. Mission économique, Berlin, le 24 septembre 2008, p. 1.

nement Merkel a mis en place une « stratégie high-tech » qui a consacré 15 milliards d'euros entre 2006 et 2009 à la recherche et à l'innovation, soit 6 milliards d'euros supplémentaires par rapport aux budgets courants des ministères concernés. Angela Merkel entend poursuivre cet effort puisqu'elle a annoncé le 24 juin 2009 que 4,7 milliards d'euros seraient consacrés entre 2011 et 2013 au pacte pour la recherche et l'innovation et au deuxième volet du pacte en faveur du développement de l'enseignement supérieur. L'initiative en faveur de l'excellence dotera également les universités sélectionnées de 2,7 milliards d'euros financés à 75 % par l'État fédéral et à 25 % par les Länder. Au total, les pouvoirs publics consacreront d'ici à 2018, à travers ces trois plans, 18 milliards d'euros supplémentaires à l'enseignement supérieur et à la recherche. Cet effort en faveur de l'enseignement supérieur et de la recherche est d'autant plus remarquable que dans son rapport *Science, technologie et compétitivité*[1] publié en 2009, la commission européenne met en garde les pays de l'Union européenne contre la tentation de réduire en temps de crise les dépenses d'innovation, alors que l'intensité de recherche, c'est-à-dire l'effort ramené au PIB, a légèrement baissé pour l'Europe, passant de 1,86 % à 1,84 % entre 2000 et 2008 et que la part de l'Europe dans la dépense de recherche mondiale a baissé de 12 % en dix ans. Le retour de la croissance combiné avec une baisse des coûts du travail, l'augmentation des investissements et une politique de recherche offensive a redynamisé l'économie allemande avec pour première conséquence une réduction du taux de chômage dont il faut se souvenir qu'il atteignait 11,1 % en 2005 avant de connaître une décrue régulière : 9,6 % en 2006 ; 8,1 % en 2007 et 7,8 % en 2008 (6,2 % à l'Ouest ; 13,9 % à l'Est), avant de repartir à la hausse en 2009 et s'établir à 8,6 %

---

1. *Science technologie et compétitivité 2008-2009*, rapport de la Commission européenne, Bruxelles, 22 janvier 2009.

(7,2 % à l'Ouest ; 14,2 % à l'Est). Autre corollaire de cette bonne santé économique : le gouvernement fédéral a pu utiliser une partie des nouvelles recettes fiscales pour diminuer le déficit public qui atteint, en 2008, 0,1 % du PIB, une très bonne performance en comparaison avec les autres principaux pays européens, notamment la France. L'Allemagne fait également beaucoup mieux que la zone euro (tableau 14). Le poids de la dette a également été ramené de 67,9 % du PIB en 2006 à 65,5 % en 2008, contre 67,3 % pour la France. Parallèlement, les dépenses publiques ont été ramenées de 48 % du PIB en 2002 à 44 % en 2008. À la vue de cette évolution et de ces résultats, une étude publiée par des économistes en 2009 a pensé devoir poser la question *L'Allemagne, un modèle pour la France ?*[1]. Au moment où du fait de la crise, le gouvernement fédéral prévoit l'accroissement du déficit budgétaire et des pertes fiscales estimées pour la période 2010-2013 à 152 milliards d'euros pour l'État fédéral et à 164 milliards pour les Länder et les communes, ces marges de manœuvre retrouvées seront sûrement utiles. En tout cas, l'Allemagne s'est débarrassée d'une partie des handicaps accumulés depuis l'unification.

Tableau 14 : Évolution du déficit public en France et en Allemagne
(en % du PIB)

	2003	2004	2005	2006	2007	2008
France	- 4,2	- 3,7	- 2,9	- 2,4	- 2,7	- 3,4
Allemagne	- 4,0	- 3,7	- 3,3	-1,7	- 0,2	- 0,1
Zone euro	- 3,0	- 2,8	- 2,5	- 1,3	- 0,6	-1,9

Source : Eurostat, 2009.

La crise financière et économique de 2008-2009 a contraint les dirigeants, chancelière en tête, à réviser certaines positions

---

1. ARTUS, Patrick (dir.), *L'Allemagne, un modèle pour la France ?*, Les cahiers du cercle des économistes, Paris, PUF, 2009.

et à réorienter la politique économique, ce qui ne s'est d'ailleurs pas passé sans tension au sein du gouvernement, pas seulement entre sociaux-démocrates et chrétiens-démocrates, mais au sein même de la famille chrétienne-démocrate/chrétienne – sociale, par exemple entre Angela Merkel et son ministre de l'Économie. Confrontée à cette crise, l'Allemagne a pris des mesures qui au-delà de leur portée symbolique forte contribuent à faire évoluer les mentalités. Ainsi en va-t-il de la nationalisation partielle (même pensée comme provisoire) de la deuxième banque privée allemande, la Commerzbank, dont l'État fédéral a acquis 25 % du capital (plus une action), avec la possibilité de constituer une minorité de blocage, pour 1,8 milliard d'euros – somme à laquelle s'ajoutent 16,4 milliards d'apport par le fonds de stabilisation – et au sein de laquelle il est dorénavant représenté (au conseil de surveillance). De même, dans le cadre du sauvetage de la banque Hypo Real Estate (HRE), spécialiste de l'immobilier, le parlement fédéral a adopté une loi permettant, au besoin, d'exproprier des actionnaires. Davantage que le plan de sauvetage des banques pour un montant de 480 milliards d'euros (400 milliards de garantie de l'État sur les engagements et 80 milliards de fonds pour la recapitalisation), le plus ambitieux d'Europe (360 milliards en France et 384 milliards en Grande-Bretagne), ces deux mesures, inimaginables il y a encore peu, ont ébranlé les certitudes sur les bienfaits de la liberté (presque illimitée) de produire et de commercer, encore défendues par la CDU pendant la campagne aux élections fédérales de 2005, conception beaucoup plus tempérée en 2007 lors de l'adoption d'un nouveau programme fondamental (voir au chapitre II : « L'union chrétienne-démocrate entre nouvel interventionnisme et libéralisme »). C'est davantage autour des plans de relance que s'est cristallisé le débat sur le rôle de l'État dans l'économie en tout cas sur la dimension de son possible interventionnisme. Ce n'est pas tant la présence des pouvoirs publics dans l'économie que son ampleur qui alimente le débat. En effet, contrairement à une idée répandue, notamment en France, les pouvoirs publics allemands sont présents dans la sphère économique comme en atteste le niveau des subventions, particulièrement élevé pour les Länder et les communes, bien avant les mesures prises en 2008 et 2009. Même si le montant des subventions recule depuis plusieurs années (tableau 15), leur niveau global correspond depuis le milieu des années 2000 jusqu'en 2007 à 6 % du produit intérieur brut.

Tableau 15 : Subventions versées par les pouvoirs publics (en million d'euros)

	2000	2002	2004	2006	2007
1- Aides financières					
État fédéral	25 649	22 617	21 511	25 019	24 262
Länder et communes	59 872	60 047	59 540	57 594	56 921
UE	5 938	6 166	6 152	7 707	5 706
Agence fédérale du travail	9 078	8 830	7 765	4 883	4 308
Total 1	**100 537**	**97 153**	**92 925**	**95 203**	**91 197**
2- Avantages fiscaux	49 682	51 065	52 162	50 832	51 922
3- Subventions (1+2)	150 219	148 218	145 087	146 035	143 119
4- Subventions en % du PIB	7,3	6,9	6,6	6,3	5,9

Source : Rapport annuel sur les subventions, Institut de l'économie mondiale de Kiel, 2 008.

L'impact culturel du débat sur l'ampleur de l'intervention des pouvoirs publics transparaît à travers les hésitations et l'évolution des principaux dirigeants concernés. Angela Merkel déclarait encore le 19 octobre 2008 qu'elle n'était « pas favorable à un programme de relance de grande ampleur »[1],

---

1. *Frankfurter Allgemeine Zeitung*, 20 octobre 2008.

tandis que le social-démocrate Peer Steinbrück, ministre des Finances, refusait, le 1er décembre 2008, de « donner l'impression de pouvoir lutter contre la récession en utilisant l'argent de l'État » et concluait : « Depuis que j'ai à faire à des plans de relance, c'est-à-dire depuis la fin des années 1970, je remarque qu'ils n'ont jamais eu l'effet escompté. En fin de parcours, on constatait seulement que l'État était plus endetté[1]. » Même si l'argument de l'orthodoxie budgétaire selon lequel l'Allemagne ne devait pas remettre en cause le retour à l'équilibre des finances publiques (voir plus haut) pouvait être compris, il est apparu de plus en plus décalé face à la réalité. Après avoir donné le sentiment de faire « cavalier seul » en Europe, notamment par peur de voir s'instaurer une forme de gouvernement économique européen sollicitant encore davantage le budget allemand (voir au chapitre I : « France-Allemagne : amitié ou rivalité ? »), le gouvernement fédéral a adopté deux plans de relance (« paquets conjoncturels »), l'un le 1er novembre 2008, l'autre le 13 janvier 2009, les deux s'appliquant sur 2009 et 2010. Le premier d'un volume de 31 milliards d'euros était destiné à accroître l'enveloppe et le rythme des investissements (affectation de ressources supplémentaires à des projets d'infrastructure ou d'amélioration de l'efficacité énergétique), à réaliser des allégements fiscaux pour les particuliers et les PME (déduction des cotisations d'assurance-maladie, de sommes versées pour des prestations de services domestiques, exonération de la taxe sur les véhicules à moteur), à aider les familles les plus modestes (versement de 100 euros par année scolaire pour chacun des enfants d'une famille touchant l'allocation Hartz IV) et desserrer le crédit (élargissement de l'offre de crédits de la banque publique pour la reconstruction KfW). Face à la dégradation de la situation, le gouvernement fédéral s'est résolu à adopter un second plan de

---

1. *Der Spiegel*, 1er décembre 2008.

relance, le 13 janvier 2009, à hauteur de 49,8 milliards d'euros. Ce plan d'une ampleur historique pour la République fédérale concerne un « grand pacte pour l'investissement » (infrastructure : routes, écoles, hôpitaux ; recherche dans les PME), des baisses d'impôts et de cotisations (allégement du taux d'imposition pour les bas revenus de 15 à 14 % ; baisse du taux de cotisation à l'assurance-maladie ; prime exceptionnelle de 100 euros par enfant pour les bénéficiaires d'allocations familiales) et des aides aux entreprises (prime à la casse pour l'achat d'une voiture ; garanties de l'État pour les entreprises n'obtenant plus de crédits du seul fait de la crise ; allégement des conditions d'accès à l'allocation de chômage partiel ; remboursement des cotisations sociales aux employeurs pour moitié en cas de chômage partiel et intégralement pendant les périodes de formation). Après l'adoption de ce second plan, l'Allemagne se retrouve, avec l'Espagne, en tête des pays européens en consacrant 3 % de son produit intérieur brut à la relance, contre 1,4 % pour la Grande-Bretagne et 1,3 % pour la France (tableau 16).

Tableau 16 : Plans de relance financés sur fonds publics en 2008 et 2009 (en % du PIB national)

États-Unis	5,6
Corée du Sud	4,9
Espagne	3,5
Allemagne	3,0
Japon	2,0
Pays-Bas	1,5
Grande-Bretagne	1,4
France	1,3

Source : OCDE, 2009.

Outre le fait que les sommes allouées aux plans de relance assombrissent les perspectives de revenir dans un court délai à l'équilibre budgétaire avec un creusement du déficit budgétaire en 2009 et 2010 – résultats néanmoins toujours meilleurs que ceux de la zone euro – et relancent la spirale de l'endettement public, ce qui frappe, c'est l'évolution de la culture économique. Ce qui était impensable il y a peu fait maintenant partie du langage, lorsque par exemple la chancelière déclare à la chaîne de télévision ZDF le 16 février 2009 : « Nous sommes confrontés à une crise exceptionnelle. De telles époques exceptionnelles exigent des mesures exceptionnelles. Cela vaut particulièrement pour le secteur bancaire... Comme *ultima ratio*, nous devons penser à l'expropriation[1]. » Ce nouveau rapport à l'État apparaît déjà nettement dans le programme de gouvernement de la CDU pour 2009-2013 (voir au chapitre II : « l'union chrétienne-démocrate entre nouvel interventionnisme et libéralisme »). En présentant le deuxième plan de relance devant le parlement fédéral, le 14 janvier 2009, Angela Merkel affirme que « l'État est le garant de l'ordre économique et social », qu'il doit s'engager pour « aider les forces du marché à retrouver une bonne santé » et veiller à ce que « l'Allemagne sorte renforcée de cette crise et soit mieux préparée à affronter l'avenir », notamment en accentuant les efforts en faveur de l'éducation, la recherche et les infrastructures, avec pour objectif d'« impulser une modernisation pour la décennie à venir »[2]. Lorsque la chancelière se rend, le 31 mars 2009, devant le personnel de l'usine Opel de Rüsselsheim, elle indique certes que « l'État n'est pas le meilleur entrepreneur qui soit » mais

---

1. Interview de la chancelière fédérale Angela Merkel lors de l'émission « Berlin direkt » sur la chaîne ARD, le 16 février 2009.
2. Déclaration gouvernementale de la chancelière fédérale, Angela Merkel, prononcée devant le parlement fédéral, le 14 janvier 2009..., *op. cit.*, p. 21426 et 21425.

suggère de « trouver un investisseur qui avec l'aide de l'État – cela vaut pour le gouvernement régional et le gouvernement fédéral – bâtisse une base solide et croie en Opel »[1]. Si Angela Merkel s'est, dans le cas d'Opel, opposée à l'idée d'une participation directe de l'État (État fédéral et Länder) au capital de l'entreprise – défendue par le parti social-démocrate et le syndicat IG Metall –, les pouvoirs publics, après avoir rejeté la possibilité du dépôt de bilan, n'en ont pas moins été à la manœuvre, en initiant les négociations pour une reprise par un investisseur privé soutenu financièrement par l'État et en accordant un crédit-relais à hauteur de 1,5 milliard d'euros. On voit là s'affirmer la conception d'un État non seulement « réparateur » mais aussi « stratège ». Le ministre-président chrétien-démocrate de Rhénanie-du-Nord-Westphalie va plus loin quand il réclame une aide supérieure au second plan de relance et la mise en place d'une vraie politique industrielle qui s'appuierait sur « un plan Marshall en faveur des entreprises afin que l'Allemagne conserve ses noyaux industriels »[2]. Quant au social-démocrate Peer Steinbrück, il est loin de ses premières déclarations sur la crise évoquées précédemment quand il soutient qu'un « nouvel équilibre est nécessaire entre le marché et l'État »[3], ce qui signifie autre chose qu'une simple amélioration des règles du marché financier. Comme coauteur du document de la direction de son parti intitulé *14 mesures pour accroître la transparence et la stabilité des marchés financiers*, il souhaite que les pouvoirs publics puissent « obliger les établissements financiers à augmenter leurs fonds propres », « interdire les ventes à découvert pernicieuses » et « modifier les systèmes d'incitation et de

---

1. Discours de la chancelière fédérale, Angela Merkel, dans le cadre d'une visite de l'usine Opel à Rüsselsheim, le 31 mars 2009, p. 1, http://www.bundes kanzlerin.de/reden2009.
2. *Der Spiegel*, 9 janvier 2009.
3. SPD-intern 10/2008, p. 7.

rémunération du secteur de la finance »[1]. Ce « retour de l'État » dans l'économie n'est pas sans étonner en Allemagne comme en témoigne le nouveau vocabulaire utilisé par la presse, de gauche comme de droite, sur un ton critique : « capitalisme d'État » (*Der Spiegel* du 21 février 2009) ; « l'économie d'État » (*Frankfurter Allgemeine Zeitung* du 2 juin 2009), la chancelière étant même décrite comme une « capitaliste d'État » (*Frankfurter Allgemeine Zeitung* du 14 janvier 2009). L'attitude des économistes montre également le tourment que peut représenter une telle évolution. Ainsi dans son rapport 2008-2009 sur la situation économique intitulé *Maîtriser la crise financière. Renforcer les moteurs de la croissance*, le conseil des experts en charge de conseiller le gouvernement fédéral rend hommage à « l'action résolue du monde politique » et soutient que « les interventions de l'État s'imposent lorsque le marché échoue et que l'État est davantage en mesure que lui d'apporter une réponse à la situation », tout en mettant en garde contre l'opinion qui prône « un rôle dominant de l'État »[2]. Après la reprise en main par les pouvoirs publics du dossier Opel, les mêmes experts demandent dans une tribune commune parue le 9 juin 2009 que l'État ne « se laisse pas imposer sa politique par la menace de la perte d'emplois » et observent : « Les subventions uniquement destinées à maintenir un site ne sont pas justifiables d'un point de vue économique. Elles risquent plutôt d'empêcher les nécessaires processus d'adaptation avec pour conséquence une

---

1. *Eine neue Balance von Markt und Staat. 14 Massnahmen für mehr Transparenz und Stabilität auf den Finanzmärkten* (Un nouvel équilibre entre le marché et l'État. 14 mesures pour plus de transparence et de stabilité sur les marchés financiers), rapport du groupe de travail de la direction du SPD, 27 octobre 2008, Berlin, p. 3 et 4.
2. *Jahresgutachten 2008/2009. Die Finanzkrise meistern. Wachstumskräfte stärken* (Rapport annuel 2008/2009. Maîtriser la crise financière. Renforcer les moteurs de la croissance), 2008, p. III et 3, http://www.sachverstaendigenrat-wirtschaft.de/ gutachten2008-2009.

perte de croissance. La politique s'attribue dans ce cas une compétence qu'elle n'a pas[1]. » C'est aussi pour dissiper une telle impression – par ailleurs disproportionnée – que les pouvoirs publics ont opposé une fin de non-recevoir au groupe de distribution et de tourisme Arcandor qui réclamait d'être sauvé de la faillite par une garantie publique de 650 millions d'euros et qu'ils ont également rejeté par l'intermédiaire de la banque publique pour la reconstruction KfW la demande de crédit du constructeur Porsche. Nul doute en tout cas que ce « retour de l'État », même tempéré, modifie et modifiera en Allemagne la culture économique et son incarnation, le modèle économique et social « rhénan ». Le débat n'est pas clos.

---

1. *Frankfurter Allgemeine Zeitung*, 9 juin 2009.

Bibliographie

Les documents, articles, mémoires et recueils de discours ne sont pas repris ici. Se reporter aux notes.

ARTUS, Patrick (dir.), *L'Allemagne, un modèle pour la France ?*, Paris, PUF, « Les cahiers du cercle des économistes », 2009.

BAHR, Egon, *Der deutsche Weg. Selbstverständlich und normal*, München, Blessing Verlag, 2003.

BARTELS, Hans-Peter, *Victory-Kapitalismus*, Köln, Kiepenheuer und Witsch, 2005.

BOFINGER, Peter, *Wir sind besser als wir glauben*, München, Pearson Verlag, 2005.

BÖSCH, Frank, *Macht und Machtverlust. Die Geschichte der CDU*, Stuttgart, DVA, 2002.

BREZEZINSKI, Zbigniew, *Le Grand Échiquier. L'Amérique et le reste du monde*, Paris, Fayard, 1997.

COHEN, Samy (dir.), *Mitterrand et la sortie de la guerre froide*, Paris, PUF, 1998.

CONZE, Eckart, *Die Suche nach Sicherheit. Eine Geschichte der Bundesrepublik Deutschland von 1949 in die Gegenwart*, München, Siedler, 2009.

FISCHER, Joschka, *Die rot-grünen Jahre. Deutsche Aussenpolitik – vom Kosovo bis zum 11. September*, Köln, Kipenheuer und Witsch, 2007.

GROSSER, Dieter, *Das Wagnis der Währungs-, Wirtschafts -und Sozialunion*, Stuttgart, DVA, 1998.

HACKE, Christian, *Die Aussenpolitik der Bundesrepublik Deutschland*, Frankfurt am Main, Ullstein, 2003.

HARTMANN, Michael, *Der Mythos von den Leistungseliten. Spitzenkarrieren und soziale Herkunft in Wirtschaft, Politik, Justiz und Wissenschaft*, Frankfurt am Main, Campus, 2006.

HOMBACH, Bodo, *Der Aufbruch. Die Politik der neuen Mitte*, Düsseldorf, Econ, 1998.

JUDT, Tony, *Après-guerre. Une histoire de l'Europe depuis 1945*, Paris, Armand Colin, 2007.

KAISER, Karl/MAULL, Hanns W. (ed.), *Deutschlands Aussenpolitik. Band I: Grundlagen, 1994; Band II: Herausforderungen, 1995; Band III: Interessen und Strategien, 1996; Band IV: Institutionen und Ressourcen*, München, Oldenbourg Verlag, 1998.

KAUFMANN, Franz-Xaver, *Varianten des Wohlfahrtsstaats. Der deutsche Sozialstaat im internationalen Vergleich*, Frankfurt am Main, Suhrkamp, 2003.

KLEIN, Markus/FALTER, Jürgen, *Der lange Weg der Grünen*, München, Beck, 2003.

KUCZYNSKI, Rita, *Die Rache der Ostdeutschen*, Berlin, Parthas Verlag, 2002.

KURBJUWEIT, Dirk, *Angela Merkel. Die Kanzlerin für alle?*, München, Carl Hanser Verlag, 2009.

LANGGUTH, Gerd, *Angela Merkel*, München, DTV, 2005.

LAPPENKÜPPER, Ulrich, *Die deutsch-französischen Beziehungen 1949-1963.Von der Erbfeindschaft zur « Entente élémentaire ». Band I:1949-1958. Band II:1958-1963*, München, Oldenbourg Verlag, 2001.

LAUTERBACH, Karl, *Der Zweiklassenstaat – wie die Privilegierten Deutschland ruinieren*, Berlin, Rowohlt, 2007.

LEQUESNE, Christian, *La France dans la nouvelle Europe*, Paris, Presses de la FNSP, 2008.

METZLER, Gabriele, *Der deutsche Sozialstaat. Vom Bismarckschen Erfolgsmodell zum Pflegefall*, Stuttgart, DVA, 2003.

MOREAU, Patrick, *Les Héritiers du IIIᵉ Reich. L'extrême droite allemande de 1945 à nos jours*, Paris, Seuil, 1994.

MÜLLER, Uwe, *Supergau. Deutsche Einheit*, Berlin, Rowohlt, 2006.

MÜNKLER, Herfried, *Die Deutschen und ihre Mythen*, Berlin, Rowohlt, 2009.

NEUGEBAUER, Gero, *Politische Milieus in Deutschland*, Bonn, Dietz, 2007.

NOLTE, Paul, *Riskante Moderne. Die Deutschen und der neue Kapitalimus*, München, Beck, 2006.

OLIVI, Bino/GIACONE, Allessandro, *L'Europe difficile. Histoire politique de la construction européenne*, Paris, Gallimard, 2007.

PESIN, Fabrice/STRASSEL, Christophe, *Le Modèle allemand en question*, Paris, Economica, 2006.

PLATZECK, Matthias, *Zukunft braucht Herkunft. Deutsche fragen. Ostdeutsche antworten*, Hamburg, Hoffmann und Campe, 2009.

RAHR, Alexander, *Wladimir Putin. Der Deutsche im Kreml*, München, Universitas, 2000.

RITTER, Gerhard, *Der Preis der deutschen Eiheit. Die Wiedervereinigung und die Krise des Sozialstaates*, München, Beck, 2007.

SCHÄUBLE, Wolfgang, *Und der Zukunft zugewandt*, Berlin, Siedler, 1994.

SCHMIDT, Siegmar/Hellmann, Gunther/Wolff, Reinhard, *Handbuch zur deutschen Aussenpolitik*, Wiesbaden, VS Verlag für Sozialwissenschaften, 2007.

SCHMIDT, Helmut, *Die Deutschen und ihre Nachbarn*, Berlin, Siedler, 1990.

SCHMIDT, Helmut, *Ausser Dienst. Eine Bilanz*, München, Siedler, 2008.

SCHÖLLGEN, Gregor, *Angst vor der Macht. Die Deutschen und ihre Aussenpolitik*, Berlin, Propyläen, 1993.

SCHÖLLGEN, Gregor, *Der Auftritt. Deutschlands Rückkehr auf die Weltbühne*, Berlin/München, Ullstein/Propyläen, 2003.

SCHRÖDER, Gerhard, *Und weil wir unser Land verbessern. 26 Briefe für ein modernes Deutschland*, Hoffmann und Campe, Hamburg, 1998.

SCHRÖDER, Wolfgang, *Das Modell Deutschland auf dem Prüfstand*, Opladen, Westdeutscher Verlag, 2000.

SCHWARZ, Hans-Peter, *Die gezähmten Deutschen. Von der Machtbessenheit zur Machtvergessenheit*, Stuttgart, DVA, 1985.

SCHWARZ, Hans-Peter, *Die Zentralmacht Europas. Deutschlands Rückkehr auf die Weltbühne*, Berlin, Siedler, 1994.

SIMON, Anette/FAKTOR, Jan, *Fremd im eigenen Land*, Giessen, Psychosozial Verlag, 2000.

SINN, Hans-Werner, *Ist Deutschland noch zu retten?*, München, Econ 2004.

SINN, Hans-Werner, *Die Bazar-Ökonomie. Deutschland: Exportweltmeister oder Schlusslicht ?*, Berlin, Ullstein, 2005.

SLOTERDIJK, Peter, *Théorie des après-guerres. Remarques sur les relations franco-allemandes depuis 1945*, Libella-Maren Sell Editions, 2008.

STEINGART, Gabor, *Deutschland. Der Abstieg eines Superstars*, München, Piper, 2004.

STEINMEIER, Frank-Walter, *Mein Deutschland. Wofür ich stehe*, München, Bertelsmann, 2009.

TILLY, Roland/TILLY, Andrea, *Die Pyramide steht Kopf. Die Wirtschaft in der Altersfalle und wie sie ihr entkommt*, München, Piper, 2003.

VÉDRINE, Hubert, *Continuer l'histoire*, Paris, Flammarion, 2008.

WALTER, Franz, *Die SPD. Vom Proletariat zur neuen Mitte*, Berlin, Alexander Fest Verlag, 2003.

WEHLER, Hans-Ulrich, *Deutsche Gesellschaftsgeschichte 1949-1990*, München, Beck, 2008.

WEIDENFELD, Werner, *Aussenpolitik für die deutsche Einheit*, Stuttgart, DVA, 1998.

WINKLER, Heinrich August, *Der lange Weg nach Westen. Band I: Deutsche Geschichte vom Ende des Alten Reiches bis zum Untergang der Weimarer Republik. Band II: Deutsche Geschichte vom Dritten Reich bis zur Wiedervereinigung*, München, Beck, 2000.

11009402 - (I) - (2) - OSB90° - STYL - BTT
Imprimerie CHIRAT - 42540 Saint-Just-la-Pendue
Dépôt légal : Septembre 2009
N° 200908.0115